DU MÊME AUTEUR

*Une histoire de la lecture*, Actes Sud, 1998 ; Babel n° 416, 2000.
*Dictionnaire des lieux imaginaires* (en collaboration avec Gianni Guadalupi), Actes Sud, 1998.
*Dernières nouvelles d'une terre abandonnée*, Babel n° 355, 1998.

Edition préparée sous la direction
de Marie-Catherine Vacher

Titre original :
*Into the Looking-Glass Wood*
Editeur original :
Alfred A. Knopf Canada, Toronto
© Alberto Manguel, 1998

© Leméac Editeur Inc.
pour la publication en langue française au Canada
ISBN 2-7609-2117-4
Leméac Editeur remercie le Conseil des arts du Canada
de l'aide accordée à son programme de publication,
ainsi que la SODEC pour son soutien à l'édition

© ACTES SUD, 2000
pour la traduction française
ISBN 2-7427-2611-X

Toutes les illustrations sont de John Tenniel
(pour les *Aventures d'Alice au pays des merveilles*
et *De l'autre côté du miroir et ce qu'Alice y trouva*)

# DANS LA FORÊT DU MIROIR

# SOMMAIRE

"Elles dessinaient toutes sortes de choses…
tout ce qui commençait par un L…"

"Pourquoi par un L ?" s'enquit Alice.

"Pourquoi pas ?" répondit le Lièvre de Mars.

*Alice au pays des merveilles*, chapitre VII

# SOMMAIRE

# ALBERTO MANGUEL

# DANS LA FORÊT DU MIROIR

## ESSAIS SUR LES MOTS ET LE MONDE

traduit de l'anglais
par Christine Le Bœuf

## *ACTES SUD / LEMÉAC*

"Mais qu'arrive-t-il quand vous vous retrouvez
à votre point de départ ?"
se hasarda à demander Alice.

*Alice au pays des merveilles*, chapitre VII

# I
## AVANT-PROPOS

"Vous devriez répondre à leurs toasts
par un discours bien senti",
conseilla la reine rouge
en faisant les gros yeux à Alice.

*De l'autre côté du miroir*, chapitre IX

*Note de l'éditeur.*
Toutes les citations des *Aventures d'Alice au pays des merveilles* et de *De l'autre côté du miroir et ce qu'Alice y trouva*, de Lewis Carroll, sont conformes à la traduction d'Henri Parisot (collection "Bouquins", éditions Robert Laffont, 1989).

Sauf indication particulière (et, bien entendu, à l'exception de celles dont l'original est en français), les citations contenues dans cet ouvrage ont été traduites de l'anglais.

# REMERCIEMENTS

**P**OUR MOI, DES MOTS SUR UNE PAGE rendent l'univers cohérent. Lorsque les habitants de Macondo furent atteints un jour, pendant leurs cent ans de solitude, par un mal ressemblant à l'amnésie, ils se rendirent compte que leur connaissance du monde se volatilisait et qu'ils risquaient d'oublier ce qu'était une vache, ce qu'était un arbre, ce qu'était une maison. L'antidote, découvrirent-ils, se trouvait dans les mots. Afin de se rappeler ce que leur monde signifiait, ils rédigèrent des pancartes qu'ils accrochèrent aux bêtes et aux objets : "Ceci est un arbre", "ceci est une maison", "ceci est une vache, et elle donne du lait qui, mélangé au café, donne le *café con leche*". Les mots nous disent ce que nous, en tant que société, nous croyons qu'est le monde.

"Ce que nous croyons qu'il est" : voilà le hic. En associant les mots à l'expérience et l'expérience aux mots, nous autres, lecteurs, nous passons au crible des histoires qui font écho ou nous préparent à une expérience, ou nous racontent des expériences qui ne seront jamais les nôtres (nous ne le savons que trop) sauf sur la page brûlante. Par conséquent, ce que nous croyons qu'est un livre se redessine à chaque lecture. Au cours des années, mon expérience, mes goûts, mes préjugés ont changé. Jour après jour, ma mémoire ne cesse de réorganiser les volumes de ma bibliothèque, de les cataloguer, d'en éliminer ; mes mots et mon univers – à l'exception de quelques points de repère fixes – ne sont jamais constants. C'est ainsi que le *bon mot* d'Héraclite à propos du temps s'applique aussi à mes lectures : "On ne se baigne jamais deux fois dans le même livre."

Ce qui demeure invariable, c'est le plaisir de lire, de tenir un livre entre les mains et d'éprouver soudain cette sensation d'émerveillement, de recognition, de froid ou de chaleur qu'évoquent parfois, sans raison perceptible, certaines successions de mots. La critique de livres, la traduction de livres, l'édition d'anthologies sont des activités qui m'ont fourni une justification pour ce plaisir coupable (comme si le plaisir avait besoin d'une justification !) et m'ont même parfois permis de gagner ma vie. "Ce monde est beau et j'aimerais savoir comment y gagner deux cents dollars par an", écrivait le poète Edward Thomas à son ami Gordon Bottomley. Ces deux cents dollars, critique, traduction et édition m'ont parfois permis de les gagner.

"Le motif dans le tapis", c'est la formule inventée par Henry James pour désigner le thème récurrent qui parcourt l'œuvre d'un auteur, telle une signature secrète. Dans beaucoup des textes que j'ai écrits (critiques, notices ou introductions), je crois pouvoir distinguer ce motif insaisissable : il concerne la relation de cet art que j'aime tant, l'art de lire, avec le monde dans lequel je le pratique, le "beau monde" de Thomas. Peut-être existe-t-il une éthique de la lecture, une responsabilité dans notre manière de lire, un engagement à la fois politique et privé dans le fait de tourner les pages et de suivre les lignes. Et je pense que parfois, au-delà des intentions de l'auteur et au-delà des espoirs du lecteur, un livre peut nous rendre meilleurs et plus sages.

Craig Stephenson, qui est depuis quelques années le premier lecteur de tout ce que j'écris, m'a suggéré la structure et l'ordre de ce livre ainsi que la sélection des textes. Il a freiné mon désir de conserver certains écrits de circonstance auxquels j'étais attaché pour des raisons sentimentales, il m'en a rappelé d'autres que j'avais oubliés, et il a passé bien plus de temps à réfléchir à la pertinence de chacun des textes que, dans mon impatience, je ne l'aurais fait moi-même. Pour cela, et pour plus de choses qu'il ne voudra jamais en admettre, qu'il soit ici chaleureusement remercié.

Plusieurs des textes ici rassemblés ont paru au cours des années, sous des formes et des atours divers, dans des publications dont je tiens à saluer l'hospitalité.

"Jonas et la baleine" et "Le temps de la vengeance" ont été conçus comme des causeries prononcées au Banff Center for the Arts, où j'ai dirigé de 1991 à 1995 le Maclean-Hunter Arts Journalism Programme ; le dernier texte a paru, légèrement modifié, dans la *Svenska Dagbladet*, à Stockholm. "Pendant ce temps, dans une autre partie de la forêt" et "Les portes du paradis" étaient les introductions à deux anthologies, l'une de récits gay (préparée avec la collaboration de Craig Stephenson) et l'autre de nouvelles érotiques. Une version plus ancienne d'"Etre juif" a été publiée dans le *Times Literary Supplement* de Londres, de même que "La mort de Che Guevara", "Le photographe aveugle" et une version brève de "L'ordinateur de saint Augustin" ; celle-ci a été prononcée en tant que conférence. "L'imagination au pouvoir !" a paru comme postface à ma traduction d'*Heures indues*, de Julio Cortázar, et a ensuite été développée afin de constituer l'introduction d'un recueil de ses nouvelles publié en anglais sous le titre de *Bestiary*. Des versions antérieures de "Dans l'antre du chiffonnier" (sous le titre : "Porno design"), d'"Un lecteur dans la forêt du miroir" (sous le titre : "Mots durs") et du "Partenaire secret" ont paru dans le magazine *Saturday Night*, à Toronto. "Lire blanc pour noir" (sous le titre : "Un œil aveugle et une oreille sourde") a paru à la fois dans *Brick* et dans la revue *Index on Censorship*. Cette dernière a publié également "Les espions de

Dieu" en réponse à l'appel de Vargas Llosa en faveur de l'amnistie en Argentine. "Œufs de dragon et plumes de phénix" ainsi que "La muse au musée" ont paru dans *Art Monthly*, à Melbourne. *"In memoriam"* a été publié dans le magazine *Heat*, à Sydney. "Les irrésolutions de Cynthia Ozick" combinent plusieurs articles sur son œuvre publiés à New York dans *Village Voice* et à Toronto dans *Globe and Mail*. "Prendre Chesterton au mot", écrit en guise d'introduction à ma sélection d'essais de Chesterton pour la maison d'édition italienne Adelphi, a d'abord été publié dans le *Frankfurter Rundschau*. Une partie de "Borges amoureux" a paru dans *The Australian's Review of Books*, et dans *Le Monde des débats* à Paris.

En dépit des réserves que j'exprime dans "Le partenaire secret", quant aux interventions des éditeurs, la plupart de ces textes ont retiré le plus grand bénéfice des lectures généreuses et intelligentes de rédacteurs de magazines et de journaux trop nombreux pour les nommer ici mais que je remercie tous humblement. S'il fallait trouver une *raison d'être*\* à leur action ce serait, dans mon cas, mon amitié avec Louise Dennys, dont j'ai appris, depuis bien des années, à apprécier la passion pour le bien écrire et les beaux récits. Toutes erreurs, tous solécismes, toutes maladresses et impropriétés m'incombent à moi seul.

Et, comme toujours, merci à l'infatigable équipe de Westwood Creative Artists, *semper fidelis*.

ALBERTO MANGUEL,
*Calgary, automne 1998.*

---

\* En français dans le texte. *(N.d.T.)*

# II

## QUI SUIS-JE ?

"Bien sûr que si, que je suis réelle !"
protesta Alice en se mettant à pleurer.

"Ce n'est pas en pleurant que vous vous
rendrez plus réelle, fit remarquer Tweedledee ;
et il n'y a pas là de quoi pleurer."

"Si je n'étais pas réelle, dit Alice
– en riant à demi à travers ses larmes,
tant tout cela lui semblait ridicule –,
je ne serais pas capable de pleurer."

"J'espère que vous ne prenez pas ce qui coule
de vos yeux pour de vraies larmes ?"
demanda Tweedledum sur le ton
du plus parfait mépris.

*De l'autre côté du miroir*, chapitre IV

# UN LECTEUR DANS LA FORÊT DU MIROIR

> *"Voudriez-vous, je vous prie, me dire quel chemin je dois prendre pour m'en aller d'ici ?*
> *— Cela dépend en grande partie du lieu où vous voulez vous rendre",* déclara le chat.*
>
> Alice au pays des merveilles, chapitre VI.

> *La casuistique innée de l'homme ! Changer les choses en changeant leurs noms !*
>
> KARL MARX, cité par Friedrich Engels dans L'Origine de la famille, de la propriété privée et de l'Etat.

QUAND J'AVAIS HUIT OU NEUF ANS, dans une maison qui n'existe plus, quelqu'un m'a offert *Alice au pays des merveilles* et *De l'autre côté du miroir*. Comme tant d'autres lecteurs, j'ai toujours eu l'impression que l'édition dans laquelle j'ai lu un livre pour la première fois demeure, pour le restant de mes jours, l'édition originale. La mienne, grâce au ciel, était enrichie des illustrations de John Tenniel et imprimée sur un papier épais et crémeux au parfum mystérieux de bois brûlé.

Il y avait beaucoup de choses que je ne comprenais pas, lors de ma première lecture d'*Alice*

– mais cela semblait sans importance. J'ai appris
très jeune que, sauf si on lit dans un autre but
que le plaisir (ainsi que nous en avons tous
l'obligation, parfois, pour nos péchés), on peut
en toute sécurité glisser à la surface de dangereuses fondrières, se frayer un chemin au travers
de jungles touffues, esquiver les basses terres
solennelles et ennuyeuses et se laisser simplement emporter par le flot vigoureux du conte.
Alice, qui ne voyait pas l'utilité d'un livre "sans
images ni conversations", serait sûrement d'accord.

Pour autant que je m'en souvienne, ma première impression de ses aventures fut celle d'un
voyage réel au cours duquel je devins moi-
même le compagnon de la pauvre Alice. La
chute dans le terrier du lapin et la traversée
du miroir n'étaient que des points de départ,
aussi triviaux et aussi merveilleux que le fait de
monter dans un bus. Mais le voyage ! Quand
j'avais huit ou neuf ans, mon incrédulité était
moins en suspens que pas encore née, et la fiction me semblait parfois plus réelle que la réalité quotidienne. Ce n'était pas que je croyais à
l'existence véritable d'un pays comme celui des
merveilles, mais je savais qu'il était fait de la
même matière que ma maison, ma rue et les
briques rouges de mon école.

Un livre devient un autre livre chaque fois que
nous le lisons. Cette première *Alice* de l'enfance
était un voyage, comme l'*Odyssée* ou *Pinocchio*,
et je me suis toujours senti meilleur en Alice
qu'en Ulysse ou en pantin de bois. Ensuite vint
l'*Alice* de l'adolescence, et j'ai su exactement
ce qu'elle avait eu à subir lorsque le Lièvre de
Mars lui offrait du vin alors il n'y avait pas
de vin à table, ou quand la Chenille voulait
qu'elle lui dise exactement *qui* elle était et *ce*

qu'elle entendait par là. L'avertissement de Tweedledum et Tweedledee, affirmant qu'Alice n'était rien que le rêve du roi rouge, hantait mon sommeil, et mes heures de veille étaient torturées par des examens au cours desquels des maîtres émules de la reine rouge me posaient des questions du genre : "Comment dit-on *fiddle-de-dee* en français ?" Plus tard, dans la vingtaine, j'ai découvert le procès du valet de cœur dans l'*Anthologie de l'humour noir* d'André Breton, et il me devint évident qu'Alice était une sœur des surréalistes ; à la suite d'une conversation avec Severo Sarduy, à Paris, je me suis aperçu avec surprise que Humpty Dumpty devait beaucoup aux doctrines structuralistes de *Change* et de *Tel Quel*. Plus tard encore, lorsque je me suis installé au Canada, comment n'aurais-je pas reconnu que le cavalier blanc ("Mais je songeais à un procédé permettant / De teindre en vert vif les favoris grisonnants / Et toujours se servir d'un si grand éventail / Qu'il vous dissimulât des cheveux à la taille") avait trouvé un emploi parmi les nombreux bureaucrates qui courent çà et là dans les couloirs de tous les bâtiments publics de mon pays ?

Pendant toutes les années au cours desquelles j'ai lu et relu *Alice*, j'ai rencontré bien d'autres lectures différentes et intéressantes de ses aventures, mais je ne peux pas dire qu'aucune d'entre elles me soit devenue personnelle en profondeur. Les lectures des autres influencent, bien sûr, ma propre lecture, elles offrent de nouveaux points de vue ou colorent certains passages, mais elles ressemblent pour la plupart au moucheron qui ne cesse d'agacer Alice en lui chuchotant à l'oreille : "Vous pourriez fabriquer un jeu de mots à ce propos." Je refuse ; je suis un lecteur jaloux, et je ne reconnais à personne un *jus primae noctis* sur les livres que je lis. Le sentiment intime de familiarité établi voici tant d'années avec ma première *Alice* ne s'est pas affaibli ; chaque fois que je la relis, les liens se resserrent de façon très privée et inattendue. J'en connais des morceaux par cœur. Mes enfants (bien entendu, ma fille aînée s'appelle Alice) me somment de me taire lorsque je me lance, une fois de plus, dans les accents lamentables du poème intitulé "Le morse et le charpentier". Et pour presque toute expérience nouvelle je trouve dans ces pages un écho prémonitoire ou nostalgique qui me répète, une fois de plus : "Voici ce qui t'attend" ou "Tu t'es déjà trouvé là".

Une aventure entre toutes décrit pour moi, non pas une expérience particulière que j'ai connue ou pourrais connaître un jour, mais plutôt, me semble-t-il, quelque chose de plus vague et plus vaste, une expérience ou (si l'expression n'est pas trop pompeuse) une philosophie de la vie. Elle advient à la fin du troisième chapitre de *De l'autre côté du miroir*. Après être passée à travers son reflet et avoir franchi le pays en forme d'échiquier qui s'étend derrière le miroir, Alice arrive dans un bois obscur où (lui a-t-on dit) les choses n'ont pas de nom. "En tout cas, ma foi, dit-elle bravement, c'est bien agréable, après avoir eu si chaud, de pénétrer dans le… dans la… dans *quoi* ?" Etonnée de ne pouvoir retrouver le mot, Alice essaie de se souvenir : "Je veux dire, de se trouver sous le… sous la… sous *ceci*, voyez-vous bien !" Posant la main sur le tronc de l'arbre. "Comment donc cela se nomme-t-il ? Je crois que ça n'a pas de nom… C'est, ma foi, bien sûr, que ça n'en a pas." En essayant de se souvenir du mot désignant l'endroit où elle se trouve, Alice s'aperçoit soudain que rien n'a de nom, en réalité : que jusqu'à ce qu'elle puisse nommer une chose, cette chose restera sans nom, présente mais silencieuse, aussi intangible qu'un fantôme. Doit-elle se rappeler ces noms oubliés ? Ou doit-elle les fabriquer, tout neufs ? L'énigme n'est pas nouvelle.

Après avoir formé Adam "de la poussière du sol" et l'avoir placé dans un jardin à l'est d'Eden (ainsi que nous le raconte le deuxième chapitre de la Genèse), Dieu poursuivit la création de tous les animaux des champs et de tous les oiseaux du ciel, et les fit venir devant Adam pour voir comment il les appellerait ; et le nom qu'Adam donna à toute créature vivante, tel fut son nom. Pendant des siècles, ce curieux échange a intrigué les érudits. Adam se trouvait-il en un lieu (telle la forêt du miroir) où tout était innommé, et lui revenait-il d'inventer des noms pour les choses et les créatures qu'il voyait ? Ou les bêtes et les oiseaux créés par Dieu avaient-ils bel et bien des noms qu'Adam était censé connaître, et qu'il lui fallait prononcer comme un enfant qui voit un chien ou la lune pour la toute première fois ?

Et qu'entendons-nous par un "nom" ? La question, ou une forme de la question, est posée dans *De l'autre côté du miroir*. Quelques chapitres après la forêt sans noms, Alice rencontre le cavalier blanc à la mine dolente qui, à la manière autoritaire des adultes, lui déclare qu'il va chanter une chanson pour la "réconforter".

"Le nom de la chanson, dit le cavalier, s'appelle : *Yeux de morue*.

— Ah, c'est donc là le nom de la chanson ? dit Alice, en essayant de prendre intérêt à ce qu'on lui disait.

— Non, vous ne comprenez pas, répliqua le cavalier, quelque peu contrarié. C'est ainsi que s'appelle le *nom* de la chanson. Son nom à elle – à la chanson – en réalité, c'est : *Le Très Vieil homme.*

— Alors j'eusse dû dire : c'est ainsi que s'appelle la *chanson*, rectifia Alice, se corrigeant elle-même.

— Pas du tout : c'est autre chose. La chanson s'appelle : *Procédés et moyens* ; mais c'est seulement ainsi qu'elle *s'appelle*, ce n'est pas la chanson elle-même, voyez-vous bien !

— Mais qu'est donc, alors, la chanson elle-même ? s'enquit, complètement éberluée, Alice.

— J'y arrive, dit le cavalier. La chanson elle-même, à vrai dire, c'est *Assis sur la barrière* ; et l'air en est de mon invention."

Il s'avère que l'air *n'est pas* de son invention (ainsi qu'Alice le fait remarquer), pas plus que les distinctions pointilleuses du cavalier entre la façon dont un nom est appelé, le nom lui-même, la façon dont la chose qu'il désigne est appelée et la chose elle-même ; ces distinctions sont aussi anciennes que les premiers commentateurs de la Genèse. Le monde dans lequel Adam a été placé était innocent d'Adam ; il était également innocent des mots d'Adam. Tout ce qu'Adam voyait, tout ce qu'il ressentait, tout ce qui lui inspirait de l'attirance ou de la peur devait lui être rendu présent (comme, en fin de compte, à chacun d'entre nous) grâce à des strates de noms, de ces noms à l'aide desquels le langage tente de vêtir la nudité de l'expérience. Ce n'est pas par hasard qu'Adam et Eve, lorsqu'ils eurent perdu leur innocence, furent obligés de se couvrir de peaux "afin, dit un commentateur talmudique, qu'ils puissent apprendre qui ils étaient grâce à la forme qui les enveloppait". Les mots, les noms des choses, donnent à l'expérience sa forme.

La tâche de nommer incombe à tout lecteur. D'autres, qui ne lisent pas, doivent nommer leur expérience du mieux qu'ils peuvent, en fabriquant des sources verbales, en quelque sorte, en imaginant leurs propres livres. Dans nos sociétés centrées sur le livre, le savoir lire est signe de notre accès aux modes de la tribu avec ses codes et ses exigences particulières, et nous permet de partager la source commune des mots répertoriés ; mais ce serait une erreur de considérer la lecture comme une activité seulement réceptrice. Au contraire : Mallarmé dit que tout lecteur a le devoir de "donner un sens plus pur aux mots de la tribu". Pour ce faire, les lecteurs doivent s'approprier les livres. Dans des bibliothèques infinies, tels des voleurs dans la nuit, les lecteurs font main basse sur des noms, créations vastes et merveilleuses, aussi simples qu'Adam et aussi saugrenues que Rumpelstiltskin. Un auteur nous dira, comme Proust, que les volumes de la bibliothèque de Bergotte veillent la nuit sur les artistes morts, par deux, tels les anges gardiens ; mais c'est le lecteur de Proust qui, seul une nuit dans la chambre obscure, verra les ailes de ces anges trahir leur présence, révélée au passage de la lumière de phares. Bunyan décrit Christian qui s'enfuit de chez lui, les doigts enfoncés dans les oreilles, afin de ne pas entendre les plaintes de sa femme et de ses enfants ; Homère décrit Ulysse, lié au mât, essayant en vain de rester sourd au chant des sirènes ; le lecteur de Bunyan et d'Homère nomme avec ces mots la surdité de notre contemporain, l'aimable Prufrock (ce héros d'un poème d'Eliot qui dit pouvoir entendre le chant des

sirènes mais doute qu'elles chantent pour lui).
Edna Saint Vincent Millay se dit "domestique
comme une assiette" et c'est le lecteur qui donne
à la vaisselle quotidienne, compagne de ses repas,
un nom nouveau et un sens nouvellement acquis.

Ainsi que le savent tous les enfants, le monde
de l'expérience (comme la forêt d'Alice) est
innommé, et nous y errons dans un état de con-
fusion, la tête emplie du bourdonnement des
choses apprises aussi bien que des intuitions.
Les livres que nous lisons nous aident à nommer une pierre ou un arbre, un moment de joie
ou de désespoir, le souffle d'un être aimé ou
le sifflement d'un oiseau, en illuminant un objet,
un sentiment, une connaissance et en nous
disant que voici notre cœur contemplé sans
dégoût, voici des flots abracadabresques, voici
l'homme qui est triste le soir. De telles illumina-
tions sont parfois utiles ; l'ordre dans lequel
nous expérimentons et nommons importe peu.
L'expérience peut venir d'abord et, des années
après, le lecteur en découvrira le nom dans les
pages des *Fleurs du mal*. Ou bien elle vient à
la fin, et un éclat de mémoire nous livrera une
page, oubliée, pensions-nous, d'un exemplaire
fatigué des poèmes d'Hugo. Il y a des noms
inventés par des écrivains dont un lecteur refuse
de se servir, parce qu'ils lui semblent malha-
biles, ou banals, ou même trop beaux pour la
compréhension ordinaire, et qui sont dès lors
rejetés ou oubliés, ou encore conservés en vue
de quelque épiphanie capitale qui (c'est l'espoir
du lecteur) les rappellera un jour. Il peut arriver
cependant qu'ils aident le lecteur à nommer
l'innommable. "Tu voudrais qu'il sache ce qui ne
peut être dit, et lui donner la réponse parfaite
dans cette même langue", dit Tom Stoppard

dans *L'Invention de l'amour*. Cette réponse parfaite, il peut arriver qu'un lecteur la trouve sur
une page.

Le danger, Alice et son cavalier blanc le savaient bien, c'est que nous confondions parfois
un nom et ce que nous appelons un nom, une
chose et ce que nous appelons une chose. Les
gracieux fantômes sur une page, qui peuvent si
aisément étiqueter l'univers, ne sont pas l'univers. Il se peut qu'il n'existe aucun nom pour
décrire la torture d'un être humain, la naissance
d'un enfant. Après la création des anges de
Proust ou du rossignol de Keats, un auteur peut
dire au lecteur : "entre tes mains je remets mon
esprit", et en rester là. Mais comment ces esprits
à lui confiés aideront-ils un lecteur à trouver son
chemin dans l'ineffable réalité de la forêt ?

La lecture systématique ne sert pas à grand-
chose. Le recours à une liste de livres officielle
(listes de classiques, d'histoire littéraire, de lectures censurées ou recommandées, catalogues
de bibliothèques) peut, d'aventure, faire surgir
un nom utile, à condition que nous restions
conscients des motifs cachés de ces listes. Les
meilleurs guides, à mon avis, sont les caprices
du lecteur – confiance dans le plaisir et foi dans
le hasard – qui nous mettent parfois en un sem-
blant d'état de grâce et nous permet de transformer du lin en fils d'or.

Du lin en or : en été 1935, Staline accorda au
poète Ossip Mandelstam, soi-disant comme une
faveur, des papiers d'identité valables trois mois,
accompagnés d'un permis de résidence. D'après
sa femme, Nadejda Mandelstam, ce petit document leur facilita beaucoup la vie. Il arriva qu'un
ami des Mandelstam, l'acteur et essayiste Vladimir
Yakhontov, passa par hasard dans leur ville.

A Moscou, Mandelstam et lui s'étaient amusés
à lire les carnets de rationnement, comme une
tentative de nommer le paradis perdu. A présent, les deux hommes firent de même avec les
papiers d'identité. Nadejda Mandelstam décrit
la scène dans ses Mémoires :

> Il faut dire que l'effet fut plus déprimant encore.
> Dans le carnet de rationnement, ils avaient lu
> les coupons en solo et en chœur : "Lait, lait,
> lait... fromage, viande..." Quand Yakhontov lut
> les papiers d'identité, il réussit à charger sa voix
> d'inflexions sinistres et menaçantes : "Délivré
> sur la base de... délivré... délivré par... rubri-
> ques particulières... permis de résidence, per-
> mis de résidence, permis de résidence..."

Toute lecture véritable est subversive, à contre-
courant, ainsi qu'Alice, lectrice raisonnable, le
découvrit au-delà du miroir, dans le monde des
donneurs de noms en folie. Un premier ministre
canadien supprime le chemin de fer et appelle
son geste : "progrès" ; un homme d'affaires suisse
fait trafic de biens mal acquis et appelle ça :
"commerce" ; un président argentin abrite des
assassins et qualifie la chose "d'amnistie". Pour
contrer ces donneurs de faux noms, un lecteur
peut ouvrir ses livres. Dans de tels cas, lire nous
aide à maintenir une cohérence au milieu du
chaos, à défaut de l'éliminer ; à ne pas enfer-
mer l'expérience dans des structures verbales,
mais à lui permettre de progresser à sa propre
cadence vertigineuse ; à ne pas faire confiance
à la surface étincelante des mots mais à fouiller
les profondeurs.

La pauvre mythologie de notre temps semble
avoir peur de s'aventurer sous la surface. Nous
nous méfions de ce qui est profond, nous tour-
nons en dérision la réflexion dilatoire. Des images

d'horreur traversent nos écrans, grands et petits, mais nous ne voulons pas qu'un commentaire vienne à les ralentir : nous voulons voir arracher les yeux de Gloucester, mais pas assister à tout le reste de la représentation du *Roi Lear*. Un soir, il y a un certain temps, je regardais la télévision dans une chambre d'hôtel en zappant de chaîne en chaîne. Peut-être par hasard, à chacune des images qui occupaient l'écran pendant quelques secondes on voyait tuer ou battre quelqu'un, on apercevait un visage défiguré par l'angoisse, on assistait à une explosion – voiture ou immeuble. Je me suis soudain rendu compte que l'une des scènes que j'avais fait défiler ne faisait pas partie d'une série dramatique mais d'une émission d'information sur la Bosnie. Parmi les autres images dont le cumul diluait l'horreur de la violence, j'avais regardé sans émotion quelqu'un de réel frappé par une balle réelle.

George Steiner a suggéré que l'Holocauste a traduit en une réalité de chair et d'os calcinés les horreurs de nos enfers imaginaires ; il se peut que cette traduction marque le commencement de notre incapacité à imaginer la douleur d'autrui. Au Moyen Age, par exemple, les affreux tourments des martyrs représentés sur d'innombrables peintures n'étaient jamais regardés seulement comme des images d'horreur ; illuminées par la théologie (si dogmatique, si catéchistique qu'elle fût) qui les engendrait et les définissait, ces représentations devaient aider celui qui les contemplait à réfléchir sur l'éternelle souffrance du monde. Tous ne voyaient peut-être pas au-delà de la simple atrocité de la scène, mais la possibilité d'une réflexion plus profonde était toujours présente. Après tout, une image ou un texte ne peuvent qu'*offrir* la

possibilité de lire plus avant ou plus en profondeur ; saisir ou non cette possibilité, le choix en
incombe au lecteur ou au spectateur puisque,
en eux-mêmes, textes et images ne sont rien que
des traits sur le papier, des taches sur du bois
ou une toile.

Les images que je regardais ce soir-là n'étaient,
je crois, que surface ; tels des textes pornogra-
phiques (les slogans politiques, l'*American Psycho*
de Bret Easton Ellis, la bouillie publicitaire), ils
n'apportaient rien de plus que ce que les sens
pouvaient saisir immédiatement, tout à la fois,
au passage, sans lieu ni temps pour la réflexion.

La forêt du miroir d'Alice n'est pas faite de
telles images : elle a de la profondeur, elle
demande réflexion même si (pendant la durée
de sa traversée) elle n'offre aucun vocabulaire
pour nommer ses éléments propres. L'expérience
véritable et l'art véritable (si inconfortable que
soit devenu cet adjectif) ont ceci en commun :
ils dépassent toujours notre compréhension ou
même nos capacités de compréhension. Leur
limite extérieure se trouve toujours juste hors
de notre atteinte, comme l'a décrit un jour le
poète argentin Alejandra Pizarnik :

> *Et si l'âme devait demander : jusqu'où encore ?*
> *Il faut répondre : sur l'autre rive du fleuve,*
> *Pas celui-ci, celui qui est juste après.*

Pour aller au moins jusque-là, j'ai eu des guides
nombreux et merveilleux. Certains écrasants, tel
Borges ; d'autres plus intimes, tels Cortázar ou
Cynthia Ozick ; beaucoup très divertissants, tels
Chesterton ou Stevenson ; quelques-uns éclai-
rants au-delà de ce que je pouvais espérer voir,
tel saint Augustin. Leurs écrits changent sans
cesse dans la bibliothèque de ma mémoire où

toutes sortes de circonstances – âge et impatience, cieux différents et voix différentes, lectures nouvelles et anciennes – déplacent des volumes, biffent des passages, ajoutent des notes dans les marges, intervertissent des jaquettes, inventent des titres. Je pense au moraliste Joseph Joubert dont Chateaubriand décrit les habitudes de lecture : "Quand il lisait, il déchirait de ses livres les feuilles qui lui déplaisaient, ayant, de la sorte, une bibliothèque à son usage, composée d'ouvrages évidés, renfermés dans des couvertures trop larges." L'activité furtive de tels bibliothécaires anarchiques étend presque à l'infini ma propre bibliothèque limitée : je peux désormais relire un livre comme si je ne l'avais encore jamais lu. A Bush, sa maison de Concord, Ralph Waldo Emerson commença à souffrir à soixante-dix ans de ce qui était sans doute la maladie d'Alzheimer. D'après son biographe, Carlos Baker,

> Bush devint un palais d'oubli... [Mais] la lecture, disait-il, restait un "plaisir intact". De plus en plus, le cabinet de travail devint à Bush sa retraite. Il s'accrochait à la routine confortable de la solitude, lisant dans son bureau jusqu'à midi et y retournant l'après-midi jusqu'à l'heure de sa promenade. Peu à peu, il perdit le souvenir de ses propres écrits, et il était ravi de redécouvrir ses essais : "Ma parole, ces essais sont vraiment très bons", disait-il à sa fille.

Quelque chose d'analogue aux redécouvertes d'Emerson se produit désormais lorsque je reprends *Le Nommé Jeudi* ou *Docteur Jekyll et Mister Hyde* et que je les aborde comme Adam saluant sa première girafe.

Est-ce tout ? Parfois, cela paraît suffisant. Entourés d'incertitude et de toutes sortes de peurs, menacés par l'absence, le changement et la douleur, la sienne et celle du monde, pour laquelle on ne peut offrir aucune consolation, les lecteurs savent qu'il existe au moins, ici et là, quelques lieux sûrs, aussi réels que le papier et aussi vivifiants que l'encre, pour nous accorder le gîte et le couvert durant notre traversée de la forêt obscure et sans noms.

# ÊTRE JUIF

*"Eh bien, maintenant que nous
nous sommes vues une bonne fois
l'une l'autre, dit la licorne, si vous
croyez en mon existence, je croi-
rai en la vôtre. Marché conclu ?"*

De l'autre côté du miroir,
chapitre VII.

UN APRÈS-MIDI, quand j'avais sept ans, dans
le bus qui me ramenait du lycée anglais
de Buenos Aires, dont j'étais devenu
élève, un garçon dont j'ai toujours ignoré le
nom m'interpella depuis le siège arrière : "Eh,
Juif, alors, ton père aime l'argent ?" Je me rappelle avoir été si abasourdi par cette question
que je n'ai su que répondre. Je ne pensais pas
que mon père éprouvât pour l'argent un attachement particulier, mais il y avait dans le ton
du garçon une insulte implicite dont le sens
m'échappait. Surtout, j'étais étonné d'être appelé
"Juif". Ma grand-mère fréquentait la synagogue,
mais mes parents n'étaient pas religieux et
jamais dans mes pensées je ne m'étais qualifié
de ce mot que je croyais réservé aux vieux de
la génération de ma grand-mère. Mais puisque
les épithètes qu'on nous applique supposent
une définition, je fus dès cet instant (mais je
n'en étais pas conscient alors) forcé de faire un

choix : accepter cette identité vaste et difficile ou la renier. Dans *Le Juif imaginaire*, où il mêle avec efficacité essai sociologique et autobiographie, Alain Finkielkraut nous parle d'un moment comparable et constate l'universalité d'une telle expérience, mais son sujet n'est pas l'héritage de la haine. "Je voudrais, moi, dire et méditer l'expérience inverse : celle d'un enfant, d'un adolescent non seulement fier mais heureux d'être juif, et qui s'est demandé, peu à peu, s'il n'y avait pas de la mauvaise foi à vivre sa singularité et son exil dans la jubilation*." Ces individus à l'identité endossée, héritiers d'une souffrance qu'ils n'ont pas personnellement subie, Finkielkraut, avec son instinct du *mot juste*, les appelle "Juifs imaginaires".

Je suis frappé de l'utilité de cette notion pour formuler une question qui me préoccupe : comment la perception de ce que je suis affecte-t-elle ma perception du monde qui m'entoure ? Qu'importe à Alice de savoir qui elle est (l'enfant victorienne que le monde voit en elle) lorsqu'elle erre dans la forêt du miroir ? Beaucoup, apparemment, puisque ce savoir détermine sa relation aux autres créatures qu'elle rencontre. Par exemple, lorsqu'elle a oublié qui elle est, Alice peut se lier d'amitié avec un faon qui a oublié qu'il est un faon :

> Ils cheminèrent donc de conserve à travers la forêt. La fillette entourait affectueusement de ses bras le cou du faon au doux pelage. Ils arrivèrent ainsi sur un autre terrain découvert, et là, brusquement, le faon fit un bond qui l'arracha aux bras de sa compagne. "Je suis un faon ! s'écriat-il d'un ton de voix ravi. Et, malheur, ajouta-t-il,

* Alain Finkielkraut, *Le Juif imaginaire*, "Points", Seuil, 1980, p. 12.

vous, vous êtes un faon d'homme !" Une soudaine expression de crainte passa dans ses beaux
yeux bruns et, un instant plus tard, il fuyait en
bondissant de toute la détente de ses pattes.

Autour de cette notion d'identité fabriquée,
Finkielkraut a élaboré minutieusement une série
de questions sur ce que cela signifie d'être juif
(ou, ajouterais-je, d'être Alice ou un faon) et,
puisque toute définition a ses limites, il a refusé
de donner à ces questions des réponses définitives. Au centre de l'interrogation de Finkielkraut
se trouve la constatation, banale en apparence,
que les Juifs existent, que quelle que soit leur
identité, individuelle ou en tant que groupe, ils
ont une présence que même la machinerie nazie
n'a pas pu écraser. Cette existence, il n'est pas
facile de l'assumer, moins encore de la ranger
dans une catégorie. "Ecoutez, docteur, a écrit
Heinrich Heine, ne me parlez même pas du fait
d'être juif, je ne souhaiterais pas ça à mon pire
ennemi. Calomnies et honte : voilà tout ce qui en
résulte. Ce n'est pas une religion, c'est un mal-
heur." Le cri de "Pourquoi moi ?" poussé par tout
Juif persécuté, le Juif imaginaire l'entend avec
un soupir d'ennui. Se prenant lui-même en
exemple, Finkielkraut avoue que d'une part il
proclame son désir d'être juif tandis que de
l'autre il se "dé-judaïse", se transformant en
l'Autre et se faisant messager de ses compagnons
gentils : en quoi je me reconnais de façon très
nette. Quand ses parents évoquent l'Holocauste,
il répond Viêtnam ; quand ils parlent d'antisémi-
tisme, il leur fait remarquer qu'il n'y a pas en
France d'éboueurs juifs. "Pourquoi moi ?" est
devenu "Pourquoi ne suis-je pas un autre ?".

Dans cette forêt du miroir, le Juif imaginaire a
perdu tout sentiment d'appartenance ; pour lui,

aucun "nous" juif n'est possible. Les conventions
du préjugé entendent ce "nous" comme désignant une société secrète tramant des complots
infâmes, cherchant à dominer le monde ; sa
réaction à lui a été de nier toute solidarité. "Il
n'y a pas de «nous», déclare-t-il, car le judaïsme
est une affaire privée" – même si le judaïsme,
de nos jours, se reconnaît à nouveau dans une
large mesure comme une communauté. "Mais
pourquoi l'expression collective devrait-elle être
toujours et seulement politique ? Pourquoi ce
qui n'est pas «Je» serait-il nécessairement affaire
de pouvoir ou d'Etat* ?" Pourquoi le Juif ne
peut-il pas être *je* sans devoir soit se cacher, soit
revendiquer son appartenance aux millions de
victimes du passé ?

Nous voici dans des eaux dangereuses. Ce
n'est peut-être pas la nécessité de se souvenir
des persécutions ancestrales que met en cause
pareille question, mais l'illusion d'héroïsme
qu'elle entraîne souvent. Ceux qui professent
du mépris envers leurs semblables vivant "dans
l'oubli de l'histoire" oublient à leur tour que
leur propre identité précaire repose sur "le fantasme de l'histoire". Devant la toile vaporeuse
d'un tel passé, un passé qui gratifie tous les
Juifs d'une famille immense, multitude étalée
dans le temps et l'espace, les jeunes Juifs ont
parfois l'impression de n'être que des specta-
teurs. Quand je regardais ma grand-mère allumer
les cierges du sabbat et prononcer les prières
rituelles en décrivant des deux mains des cercles
opposés au-dessus des lumières vacillantes, je ne
me sentais en rien lié aux sombres et anciennes
régions de forêts, de brouillards hivernaux et

* *Ibid.*, p. 203-204.

de langages anciens d'où elle était originaire.
Elle était ma grand-mère, mais son existence
commençait et finissait dans mon présent ; elle
parlait rarement de ses ancêtres ou de l'endroit
où elle était née, c'est pourquoi, dans ma
mythologie, ses récits brefs et décousus eurent
sur ma vie beaucoup moins d'influence que les
paysages de Grimm ou d'*Alice*.

Si le judaïsme comporte une exigence, soutient
Finkielkraut, "celle-ci ne doit pas être pensée
en termes d'identification, mais en termes de
mémoire : non pas mimer la persécution mais
honorer ses victimes*", empêcher la banalisation
de l'Holocauste, afin que les Juifs ne soient pas
condamnés à une double mort : par le meurtre
et par l'oubli. Et même ainsi, je ne me sens relié
à ces horreurs que par procuration : à ma connaissance, nous n'avons perdu à cause des nazis
aucun membre de notre famille ; les parents de ma
mère comme ceux de mon père avaient émigré
longtemps avant la Première Guerre mondiale
vers l'une des colonies établies par le baron
Hirsch dans le Nord de l'Argentine, où des gauchos répondant à des prénoms tels qu'Isaac ou
Abraham interpellaient leur bétail en yiddish. Je
n'ai été informé de l'Holocauste qu'à une époque
avancée de mon adolescence, et seulement en
lisant André Schwartz-Bart et Anne Frank. Cette
horreur faisait-elle donc partie de mon histoire, à
moi aussi, par-delà l'appel à une humanité partagée ? L'épithète lancée telle une insulte à bord
de ce lointain bus scolaire m'accorde-t-elle la
citoyenneté au sein de ce peuple ancien, assiégé,
questionneur, entêté et sage ? Etais-je – suis-je –
l'un d'Eux ? Suis-je un Juif ? Qui suis-je ?

---

* *Ibid.*, p. 45.

Alice, enfant des hommes, et le faon, éternel pourchassé, font écho à cette question et, comme moi, sont tentés d'y répondre non pas avec des mots nés de ce qu'eux-mêmes savent être, mais avec des mots inventés par ceux qui se trouvent au-dehors et les montrent du doigt. Tout groupe qui fait l'objet d'un préjugé a ceci à dire : nous sommes le langage dans lequel on parle de nous, nous sommes les images où l'on nous reconnaît, nous sommes l'histoire dont on nous a condamnés à nous souvenir parce qu'on nous a privés d'un rôle actif dans le présent. Mais nous sommes aussi le langage dans lequel nous contestons ces assertions, les images grâce auxquelles nous invalidons les stéréotypes. Et nous sommes aussi l'époque où nous vivons, une époque dont nous ne pouvons être absents. Nous avons une existence propre, et nous ne sommes plus disposés à demeurer imaginaires.

# PENDANT CE TEMPS,
## DANS UNE AUTRE PARTIE DE LA FORÊT

> *"La septième case est constituée*
> *par une forêt – mais un cavalier*
> *vous montrera le chemin."*
>
> De l'autre côté du miroir,
> chapitre II.

AU TEMPS OÙ J'ÉTAIS un lecteur avide de bandes dessinées, la phrase qui provoquait en moi la plus vive émotion, car elle promettait de révéler quelque chose qui s'était passé en dehors de la succession évidente des événements, était : "Pendant ce temps, dans une autre partie de la forêt…" – en lettres capitales, généralement dans le coin supérieur gauche de la case. Pour moi (qui, comme tout lecteur fervent, souhaitais une histoire sans fin), cette phrase promettait quelque chose de quasi infini : la possibilité de savoir ce qui s'était passé sur l'autre branche du chemin, celle qu'on n'avait pas prise au carrefour, celle qui était moins visible, le sentier mystérieux et tout aussi important qui menait à une autre partie de la forêt d'aventures.

## 1. Cartographie de la forêt

> *Damner les contraintes. Bénir les détentes.*
>
> WILLIAM BLAKE.

Au milieu du IIIᵉ siècle avant J.-C., le poète Callimaque, originaire de Cyrène, entreprit de cataloguer le demi-million de volumes qu'abritait la célèbre bibliothèque d'Alexandrie. C'était là une tâche prodigieuse, non seulement en raison du nombre des livres à inspecter, épousseter et ranger sur les étagères, mais aussi parce qu'elle impliquait la conception d'un ordre littéraire censé réfléchir d'une manière ou d'une autre l'ordre plus vaste de l'univers. Pour attribuer un certain livre à un rayon particulier – Homère à "poésie", Hérodote à "histoire", par exemple – Callimaque dut d'abord établir que tout écrit peut être réparti entre un nombre spécifique de catégories ou *pinakes*, ainsi qu'il les appelait ; ensuite, il lui fallut déterminer à quelle catégorie appartenait chacun des milliers de livres non étiquetés. Callimaque divisa la bibliothèque colossale en huit "tables" qui devaient contenir tous les faits, conjectures, réflexions et chimères qui pouvaient avoir un jour été consignés sur une feuille de papyrus ; les bibliothécaires à venir allaient multiplier à l'infini ce nombre modeste. Jorge Luis Borges rappelait que, dans le système numérique de l'Institut bibliographique de Bruxelles, le chiffre 231 correspondait à Dieu.

Nul lecteur qui a un jour pris plaisir à un livre n'éprouve une confiance excessive à l'égard de ces méthodes de catalogage. Index des sujets, genres littéraires, écoles de pensée et de style littératures classées par nationalité ou par race,

recueils chronologiques et anthologies théma-
tiques ne suggèrent au lecteur que l'un des multiples points de vue possibles, dont aucun n'est
global, dont aucun n'effleure seulement l'am-
pleur et la profondeur d'un mystérieux écrit. Les
livres refusent de rester sagement en place sur
une étagère : *Les Voyages de Gulliver* sautent de
"chroniques" à "satire sociale" ou à "littérature
pour enfants", et ne resteront fidèles à aucune de
ces étiquettes. Notre lecture, comme notre sexualité, est fluide et pourvue de facettes multiples.
"Je suis vaste, écrivait Walt Whitman, je contiens
des multitudes."

La notion de "littérature gay" est fautive à trois
titres : d'abord, parce qu'elle implique une catégorie littéraire étroite, fondée sur la sexualité
de ses auteurs ou de ses personnages ; ensuite,
parce qu'elle implique une catégorie sexuelle
étroite, qui aurait peu ou prou trouvé sa définition dans une forme littéraire ; enfin, parce
qu'elle implique une catégorie politique étroite,
qui défend un ensemble réduit de droits humains
en faveur d'un groupe sexuel particulier. Et pourtant la notion de "littérature gay", quoique récente,
existe sans nul doute dans l'esprit du public.
Certaines librairies ont un rayon de "littérature
gay", certains éditeurs ont des collections de "littérature gay", et il y a des revues et des journaux
qui publient régulièrement des récits et des
poèmes dans une rubrique de "littérature gay".

Qu'est-ce, alors, que cette "littérature gay" ?

Au risque de commettre une tautologie, ce
que l'on comprend en général par "littérature
gay", c'est une littérature qui se préoccupe de
sujets "gay". Cela peut aller d'allusions obscures à "l'amour qui n'ose pas dire son nom",
selon l'expression autocensurée de Lord Alfred

Douglas, telles qu'on peut en observer dans certains textes du XIXᵉ siècle, à des chroniques explicites de la vie gay de notre temps par des auteurs qui peuvent être ou ne pas être gay. Parfois, des livres traitant de sujets non gay par des auteurs gay (*La Route des Indes*, de E. M. Forster ou *Qui a peur de Virginia Woolf ?*, d'Edward Albee, par exemple) sont placés sur les mêmes étagères de "littérature gay" que des livres dont le contenu gay est explicite – *Alexis*, de Marguerite Yourcenar ou *Le Baiser de la femme araignée*, de Manuel Puig – comme si le critique, l'éditeur ou le libraire tentaient délibérément de cataloguer la personne et non son œuvre. Certains auteurs refusent qu'on qualifie leur œuvre de "gay" (Patrick Gale, Timothy Findley) et en parlent comme de "livres écrits par un auteur qui se trouve être gay". Comme toujours avec ce genre de classification, les exceptions à toute définition proposée finissent par rendre le processus inutile, puisque chaque fois qu'on applique le qualificatif il faut le redéfinir.

Dans son recueil d'essais intitulé *Gay Fictions*, Claude J. Summers définit son sujet comme "la représentation romancée d'homosexuels mâles par des auteurs gay ou lesbiennes". C'est laisser de côté un bon nombre d'œuvres d'auteurs non gay qui sont donc exclues au seul motif de la sexualité de leur auteur. Il est probable que les préférences sexuelles d'un écrivain colorent ses écrits, mais un lecteur n'a pas besoin d'une étude approfondie d'*Ici Paris* pour être capable de lire de la littérature. Le fait de savoir que D. H. Lawrence était attiré par les femmes d'un certain âge peut ou non influencer le plaisir que l'on prend à lire *L'Amant de lady Chatterley*, mais il n'est en rien indispensable à la lecture de ce trop célèbre roman. Une étude de la vie de Melville pourrait mettre en lumière certains éléments homo-érotiques dans *Moby Dick*, mais une telle étude est-elle bien nécessaire pour découvrir ces mêmes éléments ? Et ne peut-on lire une nouvelle de William Faulkner sur un thème gay que si l'on a une preuve de son expérience dans ce domaine ? Le mot "fiction" n'implique-t-il pas la création d'un monde imaginé plutôt que fruit d'une expérience réelle ? Et si la connaissance des tendances de l'auteur était indispensable à la compréhension d'un texte, la lecture de littérature anonyme (et il en existe tant dans le domaine érotique) ne serait-elle pas finalement impossible ?

## 2. Sentiers dans la forêt

> *Il n'y a de connaissance que du particulier.*
>
> LOUIS ARAGON,
> *Le Paysan de Paris.*

Borges disait que "tout écrivain crée ses propres précurseurs". La même chose est vraie pour les genres ou les types. En inventant le roman policier, Edgar Allan Poe nous a permis d'inclure dans la définition des récits aussi vieux que la Bible. Le label "littérature gay" est une création récente, pas plus ancienne sans doute que la fondation du magazine gay *Christopher Street*, en 1975, mais il désigne maintenant bien des œuvres antérieures. Une anthologie de la poésie gay de langue anglaise incluerait de nombreux auteurs relevant du canon traditionnel, de Shakespeare à Lord Byron ; les exemples de fiction gay de langue anglaise n'ont pas un âge aussi vénérable, peut-être parce que la poésie se prête plus volontiers à une lecture ambiguë et (tel est le cas dans beaucoup de vaines explications des sonnets homo-érotiques de Shakespeare) à une interprétation bigote, alors qu'il est moins aisé de subvertir la prose pour les besoins du décorum social. C'est Thomas Hardy qui suggérait qu'un auteur peut faire passer en vers des choses qui lui attireraient "cent Mrs Grundy sur le dos" s'il les disait en prose.

Une liste chronologique de la fiction gay en anglais pourrait commencer par d'obscurs romans tels que *Joseph and His Friend* (1871), de Bayard Taylor, ou *Cecil Dreme* (1876), de Theodore Winthrop, ou par des œuvres plus connues, comme la nouvelle d'Oscar Wilde, *Le Portrait de Mr W. H.* (écrite vers 1890) ; elle pourrait se poursuivre avec Henry James et sa description presque trop subtile d'un amour homosexuel dans *L'Elève* (1891), avec le roman posthume de E. M. Forster, *Maurice* (terminé en 1914), avec *L'Officier prussien* (1914 également), de D. H. Lawrence et *Les Excentricités du cardinal Pirelli* (1926), de Ronald Firbanks, jusqu'à *The City and the Pillar*, de Gore Vidal, l'un des premiers romans grand public décrivant l'existence homosexuelle, publié en 1948 – la même année qui vit aussi la publication de deux autres classiques gay : *Les Domaines hantés*, de Truman Capote, et le recueil de nouvelles de Tennessee Williams intitulé *One Arm and Other Stories*. On pourrait dresser des listes similaires dans la littérature d'autres langues.

Dès 1950, deux tendances majeures étaient établies dans la littérature gay de langue anglaise : l'une qui s'adressait sur un ton d'excuse à un public "normal" en s'efforçant de justifier et de se faire pardonner le fait d'être gay ; l'autre qui célébrait sans fausse honte une autre sexualité tout aussi vitale, et s'adressait surtout à un lecteur éclairé. *The City and the Pillar* qui, dans une certaine mesure, suit ces deux tendances, est le premier roman à faire usage d'un procédé caractéristique (suggéré peut-être par André Gide avec *Si le grain ne meurt*, en 1926) et manifeste dans presque tous les romans gay qui lui ont succédé : la voix autobiographique. Edmund White, auteur de l'un des romans autobiographiques gay les plus influents en Amérique du Nord, *Un jeune Américain* (1982), a fait remarquer que "puisque personne n'est élevé dans la perspective d'être gay, au moment où on s'aperçoit de sa différence, il faut l'assumer". Les non-gays apprennent leurs mœurs sexuelles (surtout de sources sexistes et conservatrices) en cent lieux différents : maison, école, travail, télévision, cinéma, lectures. Les gays sont, dans l'ensemble, privés d'une telle géographie. Ils grandissent avec le sentiment d'être invisibles, et doivent passer par l'apprentissage de l'adolescence dans une solitude presque toujours totale. Le roman gay – en particulier le roman gay autobiographique – fonctionne donc pour eux comme un guide qui reflète l'expérience du lecteur tout en lui offrant des possibilités de comparaison.

Une bonne partie de cette prose fondée sur le réel est éclairante et encourageante (ce dont on a bien besoin à l'ère du sida), et permet au lecteur d'admettre le fait d'être gay en tant que donnée de la vie quotidienne. Camille Paglia a noté que la plupart des gays, contrairement à d'autres groupes minoritaires, ne se reproduisent pas et que par conséquent, à l'instar des artistes en tous lieux, "leur seule continuité passe par la culture qu'ils ont contribué à édifier". Des auteurs tels que Christopher Isherwood *(Un homme au singulier)*, David Leavitt *(Le Langage perdu des grues)* et Armistead Maupin (dans sa saga-feuilleton *Tales of the City*) rendent explicite cette "continuité par la culture" : ils placent leurs personnages gay dans une société aux facettes multiples, de sorte que leur réalité n'est pas "autre" mais "une autre", un élément d'un ensemble culturel historique, sans entité centrale dominante qui déterminerait ce qui est normal en fonction de sa propre image.

En raison de l'usage instructif qui peut être fait de la littérature gay, les récits gay qui s'inclinent devant le préjugé et acceptent implicitement le verdict patriarcal quant au salaire du péché se rendent coupables de terrorisme littéraire et méritent d'être logés sur le même rayon que les fables moralistes victoriennes. Un certain nombre de bons écrivains tombent dans cette catégorie : Dennis Cooper, par exemple, dont les romans décrivent des aspirations nécro-homo-érotiques et explorent l'esthétique de la maladie et de la décomposition, avec la mort comme horizon inéluctable ; et parfois le pusillanime André Gide, qui pensait que l'homosexualité est "une erreur de la biologie", et dont les héros portent le poids si terrible de l'angoisse catholique.

Parce qu'il lui faut instruire, parce qu'il lui faut porter témoignage, parce qu'il lui faut affirmer le droit à l'existence d'un groupe que la majorité au pouvoir dans la société souhaite ignorer ou éliminer, la littérature gay est le plus souvent d'un réalisme rigoureux. A la traîne quant aux droits exigés et en partie obtenus par d'autres groupes opprimés, les gays masculins sont dépeints dans une littérature qui en est encore pour une bonne part à un stade informatif ou documentaire. La littérature féminine peut produire du fantastique, comme *La Servante écarlate*, de Margaret Atwood, ou *The Passion*, de Jeanette Winterson ; la littérature noire peut inventer des histoires de fantômes, comme *Beloved*, de Toni Morrison ; avec une ou deux exceptions splendides (*Le Portrait de Dorian Gray*, de Wilde, et *Notre-Dame des Fleurs*, de Genet, viennent immédiatement à l'esprit), la littérature gay ne comporte ni récits fantastiques, ni mondes imaginaires. Sa force réside plutôt dans les possibilités subversives du langage.

S'approprier le langage de tous les jours, miner l'usage bureaucratique des mots ordinaires, utiliser la tactique de guérilla des surréalistes pour imprégner le banal d'un sentiment de danger – voilà en quoi, comme toute littérature d'opprimés, la littérature gay excelle. Mieux que tout autre auteur gay en quelque langue que ce soit, Jean Genet a créé une voix littéraire afin d'explorer l'expérience homosexuelle. Genet avait compris qu'il ne fallait faire à l'oppresseur aucune concession. Dans une société hypocrite qui condamne l'homosexualité mais ferme les yeux sur l'exploitation des femmes, arrête les pickpockets mais récompense les barons du crime, pend les assassins mais décore les tortionnaires, Genet fut prostitué et voleur avant d'entreprendre de décrire comme une hallucination sensuelle la vision de notre monde par un exclu. Vision si dérangeante que lorsque Jean Cocteau montra à Paul Valéry le manuscrit de *Notre-Dame des Fleurs*, la réaction de Valéry fut : "Brûlez ça !" En anglais, Oscar Wilde, Joe Orton, William Burroughs – tous exclus

contraints ou volontaires de la société – dressèrent le langage social contre ses seigneurs.

Il se peut que la littérature de tous les groupes
victimes de ségrégation passe par des stades
similaires : plaidoyer, autodescription et instruction, écrits politiques et témoignages, textes
iconoclastes et scandaleux. Si tel est le cas, le
stade suivant, que je crois pouvoir reconnaître
dans certains romans d'Hervé Guibert ou d'Alan
Hollinghurst, met en scène des personnages
qui *se trouvent être gay* mais dont les situations
sont décrites bien au-delà de leur sexualité,
laquelle est à nouveau perçue comme un élément d'un monde complexe et omnivore.

### 3. *Marquage des arbres*

> *Assez gai pour moi, il faut que je
> me fatigue à l'être pour ceux qui
> ne le sont pas.*
>
> PRINCE DE LIGNE,
> *Mélanges militaires.*

Vêtu seulement d'un négligé vaporeux bordé de
fourrure, un Cary Grant aux pieds nus informe
une May Robson intriguée qu'il est ainsi accou-
tré parce qu'il est devenu "gay". Avec cette déclaration prononcée en 1939 dans le film *L'Impossible
Monsieur Bébé*, le mot "gay", au sens d'"homosexuel mâle", fit son entrée publique dans l'anglais d'Amérique du Nord.

Ce n'était pas un début prometteur. Tel qu'en
usait Cary Grant, le mot reflétait un stéréotype
selon lequel, d'une manière ou d'une autre, être
"gay" signifiait porter des vêtements féminins,
souhaiter être de l'autre sexe et, par conséquent,

devenir la parodie involontaire d'une femme. Bien sûr, certains hommes gay s'habillent en femmes, mais tous les travestis ne sont pas homosexuels et tous les homosexuels ne sont assurément pas des travestis. Aux yeux de la plus grande partie du public de Cary Grant, la société était une réalité immuable dans laquelle hommes et femmes jouaient certains rôles spécifiques, s'habillaient de façons spécifiques et réagissaient de façons spécifiques ; la mise en question de la nécessité de ces rôles était considérée comme aberrante – et donc fautive. Aujourd'hui, certains de ces points de vue ont changé, mais les changements ont été surtout superficiels. Sous les dehors tolérants du public actuel de Cary Grant, les mêmes critères continuent à régner et on ressent toujours le même ancien malaise.

Les origines historiques de cette acception du mot "gay" sont assez incertaines. *Gai savoir* signifiait "poésie" en provençal au XIIIᵉ siècle et, comme certains poèmes des troubadours étaient explicitement homosexuels, il est possible que le mot en soit venu à désigner cet aspect particulier de leur répertoire. D'autres étymologistes inquisiteurs ont retrouvé des traces de ses origines dans l'anglais ancien, où l'un des sens du mot *gal* était "luxurieux", comme dans *geil*, en allemand moderne. Quelles qu'en soient les sources, "gay" est le terme habituel pour "homosexuel mâle" en français, en néerlandais, en danois, en japonais, en suédois et en catalan.

"Gay" est réservé à l'homosexualité masculine. L'homosexualité féminine – le lesbianisme, pour employer un terme encore ignoré dans l'édition 1950 du *Petit Robert* – possède son vocabulaire et sa carrière propres. En dépit des préjugés qui considèrent toute sexualité non conventionnelle comme appartenant au même troupeau de pécheurs, et malgré la force politique commune qui résulte du fait d'être l'objet d'un tel préjugé, les homosexualités masculine et féminine diffèrent dans leur image publique, leur lexique et leur histoire. Le lesbianisme, par exemple, est renforcé par son association avec le féminisme – les hommes gay ne reçoivent pareil soutien d'aucun groupe masculin équivalent – et les actes lesbiens sont ignorés dans certains codes de lois hétérosexuelles ; en Grande-Bretagne, les lois anti-homosexuelles notoires du siècle dernier visaient exclusivement les hommes, la reine Victoria se refusant (si on se fie à la tradition) à croire "que les femmes faisaient des choses pareilles". Dans beaucoup de pays, les couples féminins sont considérés comme "respectables" alors que les couples masculins sont impensables, sinon comme une abomination, peut-être parce que, dans l'imagination hétérosexuelle masculine qui domine la plupart des sociétés, deux femmes qui vivent ensemble ne le font que parce qu'elles n'ont pas pu se trouver un homme et peuvent donc être soit prises en pitié pour cet échec, soit admirées pour avoir entrepris toutes seules des tâches qui sont normalement de la responsabilité de l'homme. De même, les images lesbiennes sont acceptées – encouragées, à vrai dire – dans la pornographie masculine hétérosexuelle, le fantasme étant que ces femmes font l'amour entre elles en attendant le mâle à venir. Le code d'honneur hétérosexuel mâle est ainsi préservé.

Quelqu'un qui ne se conforme pas à ces codes préétablis menace apparemment l'identité reçue des individus qui maintiennent ces codes dans leur société. Pour éliminer le transgresseur sans coup férir, le mieux est de le caricaturer (ainsi que semble le prouver le succès de cette horreur qu'on appelle *La Cage aux folles*) en créant ainsi le mythe du bon homosexuel. Le bon homosexuel, comme dans la *Torchsong Trilogy* de Harvey Fiersteins, est l'homme qui porte au fond de lui le souhait de ressembler à sa mère – avoir un mari, avoir un enfant, s'occuper de sa maison – et s'en trouve empêché par un caprice de la nature. Ce mythe du bon homosexuel est conforté par la conviction (affichée par l'American Psychological Association jusqu'en 1973) qu'un homosexuel est un hétérosexuel qui a mal tourné : qu'avec un ou deux gènes de plus, un peu plus de testostérone, un rien de thé et de sympathie, l'homosexuel guérira et redeviendra normal. Et si ce résultat ne peut être atteint (parce qu'en certains cas le mal est trop avancé), alors il ne reste à la créature qu'à assumer cet autre rôle moins noble, celui d'un ersatz de femme. Je me souviens d'un test psychologique imposé à ma classe de garçons par un conseiller d'éducation préoccupé des "amitiés particulières". Une classe déjà testée nous avait prévenus que si nous dessinions une silhouette féminine, le conseiller en déduirait que nous avions le fantasme d'être une femme ; si nous en dessinions une masculine, que nous nous sentions attirés par un homme. Dans les deux cas, nous aurions droit à un sermon sur les terreurs de la déviance. Ceux dont le comportement s'écarte de la norme, avait dit le conseiller à l'autre classe, finissent toujours assassinés par des marins au bout d'un quai. Quand ce fut mon tour, je dessinai un singe.

## 4. La forêt dans l'Histoire

> *O pédérastes incompréhensibles, ce n'est pas moi qui lancerai des injures à votre grande dégradation.*
>
> LAUTRÉAMONT,
> *Les Chants de Maldoror*, V.

L'homosexualité n'est pas toujours socialement condamnée. Dans d'autres sociétés humaines, on savait que le champ de la sexualité est vaste. Dans la Grèce et la Rome antiques, on ne faisait aucune distinction morale entre amour homosexuel et hétérosexuel ; au Japon, les relations homosexuelles étaient officiellement admises entre les samouraïs ; en Chine, l'empereur en personne était connu pour avoir des amants mâles. Chez les indigènes du Guatemala, les gays ne sont pas considérés comme différents. "Chez nous, dit le leader indigène Rigoberta Menchú, on ne fait pas de distinction entre les gens qui sont homosexuels et ceux qui ne le sont pas ; cela n'arrive que lorsque nous sortons de notre société. Ce qu'il y a de bien dans notre mode de vie, c'est que tout est considéré comme faisant partie de la nature."

Dans la société européenne, l'hostilité envers les gays n'est pas courante avant le milieu du XIIe siècle. "Les causes de ce changement, écrivait l'historien de Yale, James Boswell, ne peuvent trouver d'explication adéquate, mais elles étaient sans doute très liées à l'augmentation de l'intolérance dans des groupes minoritaires apparus à l'intérieur des institutions tant ecclésiastiques que séculières au cours des XIIIe et XIVe siècles." Et pourtant, en dépit de cette hostilité, jusqu'au XIXe siècle, l'homosexuel n'était

pas perçu comme quelqu'un de distinct, quelqu'un dont la personnalité différait de celle de
l'hétérosexuel, quelqu'un qu'on pouvait persé-
cuter non seulement à cause d'un acte *contra
natura*, mais simplement parce qu'il existait.
"Le sodomite était un relaps, l'homosexuel est
maintenant une espèce", constate Michel Foucault
dans son *Histoire de la sexualité.*

Avec l'invention de l'espèce homosexuelle,
l'intolérance se créa une proie. Dès lors qu'un
préjugé est établi, il piège dans ses limites
un groupe hétérogène d'individus dont le seul
dénominateur commun est déterminé par ce
préjugé même. La couleur de la peau, les degrés
variables d'appartenance à une certaine foi, certain aspect des préférences sexuelles peuvent
devenir et deviennent l'inverse d'un objet de
désir – un objet de haine. Aucune logique ne
gouverne ces choix : le préjugé peut réunir un
juriste indonésien et un poète rasta en tant que
"gens de couleur", et épargner un homme d'affaires japonais en tant que "Blanc honoraire" ;
injurier un Juif éthiopien et un hassidim américain, mais rendre hommage à Salomon et à
David, piliers de la tradition chrétienne ; condamner un adolescent gay et le pauvre Oscar
Wilde, mais applaudir Elton John et ignorer
l'homosexualité de Léonard de Vinci et d'Alexandre le Grand.

Le groupe créé par le préjugé vient à exister
non pas en raison d'un choix des individus qui
le composent, mais de la réaction de ceux qui
sont en dehors. Les formes et les nuances infiniment diverses du désir sexuel ne sont pas le
pivot de la vie de chacun, et pourtant les hommes
gay se trouvent définis par cette seule caractéristique – leur attirance sexuelle envers d'autres

du même sexe – sans tenir compte du fait que ceux qui les attirent couvrent la gamme entière du mâle humain – grands, petits, maigres, gros, sérieux, marrants, grossiers, raffinés, intelligents, balourds, barbus, glabres, de droite, de gauche, jeunes, vieux – sans rien en commun qu'un pénis. Une fois limitée et définie par ce regroupement, la proie peut être dénigrée, exclue de certains cercles de la société, privée de certains droits, parfois arrêtée, battue, tuée. En Angleterre, la promotion de l'homosexualité est illégale ; en Argentine, les gays sont régulièrement victimes de chantage ; aux Etats-Unis et au Canada, leur incorporation dans l'armée est contestée ; à Cuba ils sont emprisonnés ; en Arabie Saoudite ils sont exécutés. En Allemagne, les homosexuels qui ont été victimes des nazis se voient encore refuser toute restitution sous prétexte qu'ils ont été persécutés pour leurs activités criminelles et non politiques.

Un groupe, une catégorie, un nom peuvent être formés et transformés au cours de l'Histoire, mais un auteur n'a pas besoin d'en avoir fait l'expérience pour exprimer cette expérience en termes artistiques – pour composer un poème, pour écrire un roman. Beaucoup de récits abordant un thème gay proviennent d'auteurs obligés d'exister dans les limites du ghetto gay. Mais beaucoup d'autres ont été écrits par des hommes et des femmes qui n'ont pas été condamnés à un tel enfermement. En tant qu'œuvres de fiction, ils sont indiscernables les uns des autres.

## 5. *Variations dans le paysage*

> *Même beauté, tant soit exquise,*
> *Rassasie et saoule à la fin.*
> *Il me faut d'un et d'autre pain ;*
> *Diversité, c'est ma devise.*

JEAN DE LA FONTAINE,
*Pâté d'anguille.*

Dans le quatrième livre de l'*Odyssée*, il est question de Protée, roi d'Egypte, dit "le Vieillard de la mer", qui est capable de prédire l'avenir et de changer de forme à volonté. Selon l'une des versions de l'histoire, il est le premier homme, imaginé par les dieux comme une créature aux possibilités infinies. A l'instar des formes apparentes de cet ancien roi, notre désir n'accepte pas de limites. L'hétérosexualité et l'homosexualité étaient sans nul doute deux de ces formes protéennes, mais elles ne sont ni exclusives ni imperméables. De même que nos goûts littéraires, nos affinités sexuelles n'ont besoin de déclarer allégeance et de se définir que dans des situations extrêmes. Dans les moments de plaisir, nous sommes aussi indéfinissables que l'instant lui-même. Peut-être ce sens généreux du plaisir finira-t-il par prévaloir.

Nos organisations sociales, néanmoins, exigent encore des étiquettes, demandent des catalogues, qui deviennent inévitablement des hiérarchies et des systèmes de classe dans lesquels les uns s'attribuent le pouvoir et les autres sont exclus. Toute bibliothèque comporte sa zone d'ombre : les innombrables étagères de livres non choisis, non lus, rejetés, oubliés, interdits. Et pourtant le fait d'exclure de la littérature quelque sujet que ce soit, tant du fait du lecteur que de celui de l'auteur, est une forme inadmissible de censure qui dégrade l'humanité de chacun. Les groupes frappés d'ostracisme par les préjugés peuvent être (et sont généralement) écartés, mais pas pour toujours. L'injustice, ainsi que nous devrions l'avoir appris désormais, a un effet curieux sur la voix des gens. Elle lui prête puissance, clarté, ingéniosité et originalité, toutes qualités dont il est bon d'être doté si l'on veut créer de la littérature.

# III

## *MEMORANDA*

"L'horreur de cette minute-là, poursuivit le roi,
jamais, au grand jamais, je ne l'oublierai !"

"Vous l'oublierez pourtant, dit la reine,
si vous n'y consacrez un paragraphe
de votre pense-bête."

*De l'autre côté du miroir*, chapitre I

# BORGES AMOUREUX

*UNE JEUNE FEMME DANS L'ASSISTANCE :*
*Monsieur Borges, avez-vous jamais*
*été amoureux ?*
*BORGES* (sans hésitation) : *Oui.*

Université de Yale, mars 1971.

UN APRÈS-MIDI DE 1966, à Buenos Aires, je fus invité à dîner chez l'écrivain Estela Canto. Cette femme d'une cinquantaine d'années, un peu sourde, à la merveilleuse chevelure artificiellement rousse et aux grands yeux d'une myopie intense (elle refusait avec coquetterie de porter des lunettes en public) s'affairait dans sa petite cuisine crasseuse à préparer un repas composé de petits pois et de saucisses en boîte tout en déclamant du Keats et du Dante Gabriel Rossetti. Elle était la dédicataire de l'un des plus beaux récits de Borges, *L'Aleph*, et elle ne permettait à personne de l'oublier.

Borges, lui, ne semblait pas partager ce souvenir. En tout cas, quand je lui parlai d'elle et lui annonçai que j'allais la rencontrer, il ne pipa mot ; quelqu'un m'expliqua par la suite que, pour Borges, le silence était une forme de courtoisie. J'avais fait la connaissance de Borges environ un an plus tôt, à la librairie *Pygmalion*, la librairie anglo-allemande de Buenos Aires où je travaillais après les cours. Accompagné par sa vieille mère, Borges arrivait en traînant les pieds et, d'une voix tâtonnante, demandait des ouvrages sur la littérature anglo-saxonne (sa dernière passion), qu'il approchait de son visage à les toucher comme si son nez pouvait inhaler les mots qu'il ne voyait plus. Un jour, Borges me demanda (comme à beaucoup d'autres) si mes soirées étaient libres et si j'accepterais de venir lui faire la lecture, car sa mère se fatiguait vite. J'acceptai, sans avoir conscience du privilège qui m'était donné.

Pendant de nombreuses soirées, je lui lus Stevenson, Kipling, des articles de l'encyclopédie Brockhaus et différentes éditions annotées de Dante, interrompu par les commentaires que faisait Borges, pour lui-même plus qu'à mon intention, m'offrant ainsi en quelque sorte une édition annotée personnelle de ses classiques. Il essaya de me persuader de me joindre à lui dans l'étude de l'anglo-saxon, mais je ne parvins jamais au-delà des trois premiers vers de *La Bataille de Maldon*. Il me demandait parfois de l'accompagner au cinéma, et c'était pour moi une expérience étrange que d'être assis à côté de ce vieil aveugle, en train de lui raconter le film sur un ton désinvolte, comme si je ne faisais que commenter l'intrigue et l'image. J'avais vite compris que Borges n'aimait pas qu'on se borne à lui raconter ce qui se passait sur l'écran et qu'il me fallait inventer des circonlocutions du genre : "Il a l'air tellement menaçant, à sa façon d'entrer dans la pièce…" ou "Un panoramique comme celui-là, sur la ville, ça fait beaucoup d'effet, ne trouvez-vous pas ?" tandis qu'autour de nous montaient les chuts de plus en plus furieux et sonores, tel un vent menaçant. Ensemble, nous avons assisté à *West Side Story* (qu'il avait déjà vu plusieurs fois et beaucoup apprécié), *L'Obsédé* et *Lord Jim*, et il les comparait aux films qu'il avait vus quand il pouvait encore se servir de ses yeux : *Lady Lou* (il trouvait Mae West bien supérieure à Jean Harlow et à Marlène Dietrich), *Psychose* ("la littérature ne peut pas atteindre à ce genre de suspense continu") et *King Kong* ("Fay Wray a contribué non seulement à la déconfiture du singe, mais aussi à celle du film"). Après la séance, nous rentrions chez lui à pied et Borges, qui aimait à se souvenir, décrivait la ville telle qu'elle était du temps où il voyait, et il évoquait des histoires de voyous dans des bars ténébreux à des coins de rues dangereux où s'élevaient à présent, invisibles à ses yeux, les tours de verre de l'hôtel *Sheraton* ou du dernier décorateur en vogue. Quand je lui dis qu'un puits se dressait désormais au milieu de la très touristique plaza San Telmo, dans l'ancienne partie coloniale de la ville, il ne me crut pas. "Il ne peut pas y avoir un puits sur une place publique ; les puits se trouvent dans les patios privés, dans les maisons, non ?" J'imaginais un documentaire (je l'ai suggéré à Ric Young, qui réalisait alors des films au Canada) dans lequel la caméra enregistrerait le présent tandis que la voix de Borges raconterait le passé, emmenant le spectateur au long des rues qu'il avait parcourues, deux décennies auparavant, en compagnie d'Estela Canto. Mais, hélas, aucune station de télévision canadienne ne se montra sensible à l'intérêt d'un tel voyage.

A l'époque où j'ai rencontré Estela, ses livres n'étaient plus considérés comme faisant partie de la scène littéraire argentine. A la suite du

prétendu "boom" latino-américain qui avait lancé
la génération de Manuel Puig, les éditeurs ne
souhaitaient plus la publier et on soldait désormais ses romans dans des boutiques aussi pous-
siéreuses que sa cuisine. Autrefois, dans les
années quarante, elle avait écrit des essais dans
le style de Hazlitt (qu'elle admirait) pour plusieurs des périodiques littéraires de l'époque,
des *Anales de Buenos Aires*, où Borges fut
quelque temps rédacteur, à *Sur*. Ses récits réa-
listes, qui (pensait-elle) faisaient écho à ceux
d'Andreïev, avaient été publiés dans les supplé-
ments littéraires des quotidiens *La Nación* et
*La Prensa*, et ses nouvelles, qui balançaient entre
la psychologie et le symbolisme, avaient bénéficié de bonnes critiques, à défaut de lecteurs,
dans l'intelligentsia de Buenos Aires. D'après
Estela, son déclin était dû à un excès d'intelligence. Avec son frère Patricio Canto, un excel-
lent traducteur qui encourageait discrètement
des rumeurs d'inceste fraternel, elle combina de
gagner un concours littéraire dont les jurés
étaient Borges, le romancier Eduardo Mallea et
la poétesse et hôtesse littéraire Carmen Gándara. Les deux Canto écriraient un roman com-
prenant des éléments de nature à plaire à tous :
une citation de Dante pour Borges, une discussion philosophique traitant de l'Art, de la
Littérature et de la Morale pour Mallea, quelques mots de Carmen Gándara pour Carmen
Gándara. Ils se dissimulèrent derrière le nom
d'une femme de lettres qu'ils croyaient loyale et
soumirent leur manuscrit sous le titre *Et lumière
fut son nom* ; le premier prix lui fut attribué à
l'unanimité. Malheureusement, les amitiés artistiques étant ce qu'elles sont, la femme de lettres
les trahit, le complot fut révélé et les conspirateurs

se retrouvèrent exclus de tous les salons littéraires de Buenos Aires. En partie par dépit et
en partie par attachement aveugle pour la littérature russe, les Canto devinrent membres du
Parti communiste argentin (dont Ernesto Sábato
a dit un jour qu'il était difficile à distinguer du
parti conservateur parce que la majorité de ses
membres étaient séniles et dormaient pendant
les réunions). Borges, qui, dans sa regrettable
jeunesse, avait écrit un livre de poèmes à la
gloire de la révolution bolchevique, jetait l'ana-
thème sur le communisme.

Pendant ce dîner, Estela me demanda si je
voulais voir le manuscrit de *L'Aleph* (que, vingt
ans après, elle vendrait chez Sotheby au prix de
vingt-sept mille sept cent soixante dollars). Je
répondis que oui. D'une chemise brune auréolée de graisse, elle sortit dix-sept pages méticuleusement rédigées d'une "écriture de nain"
(ainsi que Borges décrivit un jour ses minuscules caractères non liés), avec quelques cor-
rections et versions alternatives mineures. Elle
attira mon attention sur la dédicace, à la dernière
page. Et puis, étendant le bras au-dessus de la
table, elle me saisit la main (j'avais dix-huit ans
et une peur bleue) et la posa sur sa joue. "Sen-
tez ces os, ordonna-t-elle. Vous pourrez constater
combien j'étais belle alors."

"Alors", c'était 1944, l'année où Estela avait
fait la connaissance de Borges chez Bioy Casa-
res et Silvina Ocampo. Silvina, poète de talent
et novelliste meilleure encore, était la sœur de
Victoria Ocampo, la riche et aristocratique fon-
datrice de la revue *Sur*. Bioy, de huit ans plus
jeune que Silvina, était l'héritier du plus grand
empire laitier d'Argentine. Du prénom de sa mère,
Marta, dérivait la marque des produits laitiers

*La Martona* ; la première collaboration de Borges et Bioy avait porté sur une série de publicités pour les yaourts *La Martona.*

La première rencontre avec Borges n'eut, du point de vue d'Estela, rien d'un coup de foudre. "Mais enfin, ajoutait-elle avec un sourire nostalgique, Béatrice non plus n'avait pas été très impressionnée par Dante."

Comme pour justifier sa réaction, la description par Estela de Borges à quarante-cinq ans (publiée plus tard dans ses mémoires, *Borges a contraluz*) paraît délibérément peu engageante. "Il était gros, assez grand et raide, avec un visage pale et empâté, des pieds remarquablement petits et une main qui, quand on la serrait, paraissait invertébrée, molle, comme mal à l'aise d'avoir à subir l'inévitable contact. La voix était hésitante, il avait l'air de chercher ses mots et de demander la permission." J'ai eu l'occasion d'entendre Borges tirer un effet considérable de cette voix hésitante. Une journaliste lui demanda un jour ce qu'il admirait le plus chez le général San Martín, héros national de l'Argentine, qui avait combattu les Espagnols lors des guerres d'indépendance. Borges répondit, très lentement : "Ses bustes en bronze… qui ornent… les bureaux publics… et les cours… de récréation…, son nom… indéfiniment… répété… dans les marches… militaires…, son visage… sur le… billet… de dix… pesos…" Il y eut une longue pause au cours de laquelle la journaliste demeura sidérée. Au moment où elle allait lui demander l'explication d'un choix aussi curieux, Borges poursuivit : "… ont éloigné de moi la vraie image du héros."

Après cette première rencontre avec Borges, Estela dîna souvent chez les Bioy ; lors de ces dîners, la conversation était animée car Silvina avait l'habitude déconcertante de lancer à ses hôtes des questions telles que : "Comment feriez-vous pour vous suicider, si vous aviez le choix ?" La table, en revanche, était atroce : quelques légumes bouillis et de la confiture de lait pour dessert. Chacun savait que si on ne voulait pas mourir de faim, il fallait manger quelque chose avant d'aller dîner chez les Bioy. Un jour, le critique Enrique Pezzoni, affamé, se glissa dans la cuisine et découvrit dans le réfrigérateur, prétendument vide, deux steaks. Furieux de ce qu'il considérait comme une intolérable radinerie, il saisit les steaks et les jeta derrière la cuisinière. Durant des semaines, les Bioy eurent à se plaindre de l'atroce puanteur.

Borges, un mangeur frugal, assistait en général à ces dîners. Il soutenait que la bonne chère distrayait de la conversation. Ses mets préférés étaient ce qu'il appelait des "aliments discrets" : du riz à l'eau ou des pâtes avec du beurre et un peu de fromage râpé. Un soir d'été où, par hasard, Estela et lui s'en allaient en même temps, Borges lui demanda s'il pouvait la raccompagner jusqu'au métro. A la station, en bégayant, il suggéra qu'ils marchent encore un peu. Une heure après, ils se trouvaient dans un café de l'avenida de Mayo. Manifestement, la conversation était passée à la littérature, et Estela parla de son admiration pour *Candida*, et cita un passage de la fin de la pièce. Borges, ravi, déclara que c'était la première fois qu'il rencontrait une femme qui aimait Bernard Shaw. Scrutant Estela à travers sa cécité naissante, il lui tourna alors un compliment en anglais : "Un sourire de Joconde et les gestes d'un cavalier de jeu d'échecs." Ils sortirent quand le café fermait et marchèrent jusqu'à trois heures et demie du matin. Le lendemain, Borges déposa chez elle, sans demander à la voir, un exemplaire de *Jeunesse*, de Conrad.

Les amours de Borges et d'Estela Canto durèrent deux ans pendant lesquels, disait-elle, "il m'aimait et je l'aimais bien". Ils faisaient de longues promenades ou circulaient sans but en tram à travers les quartiers sud de Buenos Aires. Borges appréciait les trams ; c'est dans le tram n° 7, pendant les trajets aller et retour que nécessitait son misérable emploi dans une bibliothèque municipale, qu'il apprit tout seul l'italien en lisant une édition bilingue de la *Commedia* de Dante. "Je commençai l'*Enfer* en anglais ; à ma sortie du *Purgatoire*, je pouvais suivre dans l'original." Quand il ne se trouvait pas auprès d'Estela, il lui écrivait, sans répit, et cette correspondance intime, qu'elle introduisit plus tard dans *Borges a contraluz*, est discrètement émouvante. Dans une lettre non datée, où il s'excuse d'avoir quitté la ville sans la prévenir, "par crainte ou par courtoisie, à cause de la triste conviction que je n'étais pour toi, essentiellement, qu'une gêne ou un devoir", il poursuit par cet aveu : "Le destin revêt des formes qui ne cessent de se répéter, ce sont des schémas circulaires ; à présent celui-ci réapparaît : de nouveau je suis à Mar del Plata, je me languis de toi."

Pendant l'été 1945, il lui dit qu'il voulait écrire un récit à propos d'un lieu qui serait "tous les lieux du monde", et qu'il voulait lui dédicacer ce récit. Deux ou trois jours plus tard, il apporta chez elle un petit paquet qui, disait-il, contenait *L'Aleph*. Estela l'ouvrit. Elle trouva dedans un petit kaléidoscope que le gamin de quatre ans de la bonne s'empressa de casser.

L'histoire de *L'Aleph* progressa de concert avec son engouement pour Estela. Il lui écrivit, sur une carte postale, en anglais :

*Jeudi, vers cinq heures.*

Je suis à Buenos Aires. Je te verrai ce soir, je te verrai demain, je sais que nous serons heureux ensemble (heureux et planants et parfois muets et glorieusement sots), et déjà je ressens la douleur physique d'être séparé de toi, arraché à toi par des cours d'eau, par des villes, par des touffes d'herbe, par les circonstances, par des jours et des nuits.

Ces quelques lignes sont, je te le promets, les dernières que je m'autorise sur ce ton ; je ne m'apitoierai plus sur moi-même. Cher amour, je t'aime ; je te souhaite tout le bonheur ; un vaste, complexe et dense avenir de bonheur nous attend. J'écris comme un de ces affreux poètes en prose ; je n'ose pas relire cette regrettable carte postale. Estela, Estela Canto, quand tu liras ceci je serai en train de terminer la nouvelle que je t'ai promise, la première d'une longue série.

A toi,

GEORGIE.

"L'histoire du lieu qui est tous les lieux" (ainsi que l'appelle Borges sur une autre carte postale) commence par l'été où meurt la belle aristocrate de Buenos Aires, Beatriz Viterbo, dont Borges, le narrateur, est amoureux. Le cousin de Beatriz, Carlos Argentino Daneri, poète pédant et emphatique (on a raconté que Borges s'était inspiré pour ce personnage de son beau-frère, l'écrivain Guillermo de Torre, qui souscrivait fidèlement au vocabulaire recommandé par l'Académie royale des lettres espagnole) s'emploie à composer un immense poème épique qui incluera tout ce qui existe sur la terre comme au ciel ; sa source d'inspiration est l'Aleph, un lieu où a été rassemblée toute existence. Ce lieu, explique Daneri à Borges, se trouve en dessous de la dix-neuvième marche de l'escalier descendant à la cave de Beatriz, et pour l'apercevoir on doit se coucher par terre dans une certaine position. Borges s'exécute et l'Aleph lui est révélé. "Le diamètre de l'Aleph devait être de deux ou trois centimètres, mais l'espace cosmique était là, sans diminution de volume." Tout apparaît devant ses yeux étonnés en une énumération digne de Walt Whitman : "Je vis la mer populeuse, l'aube et le soir, les foules d'Amérique, une toile d'araignée argentée au centre d'une noire pyramide, un labyrinthe brisé (c'était Londres), je vis des yeux tout proches, interminables, qui s'observaient en moi comme dans un miroir…" La liste continue pendant une page encore. Parmi ces visions, Borges voit l'impossible : son propre visage et celui de ses lecteurs – nos visages – et "les restes atroces de ce qui délicieusement avait été Beatriz Viterbo". Et aussi, à sa grande mortification, il voit "des lettres obscènes, incroyables, précises" que l'inaccessible Beatriz avait écrites à Daneri. "J'eus le vertige et je pleurai, car mes yeux avaient vu cet objet secret et conjectural, dont les hommes usurpent le nom, mais qu'aucun homme n'a regardé : l'inconcevable univers*."

Le récit achevé, Borges le publia dans *Sur*, dans le numéro de septembre 1945. Peu après, lui et Estela dînaient à l'hôtel *Las Delicias*, à Adrogué, aux environs de Buenos Aires. C'était un endroit très important pour Borges. C'était là

* Trad. Roger Caillois et René L.-F. Durand, Gallimard, 1967.

que, jeune homme, il avait passé quelques étés heureux en famille, à lire ; là que, âgé de trente-cinq ans et désespérément malheureux, il avait tenté de se suicider le 25 août 1934 (tentative qu'il commémora en 1978, par un récit situé dans l'avenir, *25 août 1983* ; là que se passe son roman policier métaphysique, *La Mort et la Boussole*, où l'hôtel *Las Delicias* est transformé en la villa si bellement nommée Triste-le-Roy. Dans la soirée, Estela et lui se promenèrent dans les rues enténébrées et Borges récita, en italien, les vers de Béatrice à Virgile, quand elle le supplie d'accompagner Dante dans son voyage en Enfer. Les voici dans la traduction de Jacqueline Risset :

> *O âme courtoise de Mantoue,*
> *dont la gloire dure encore dans le monde,*
> *et durera aussi longtemps que le monde,*
> *mon ami vrai, et non ami de la fortune,*
> *est empêché si fort, sur la plage déserte...*

Estela se souvenait de ces vers et me raconta que Borges s'était moqué de la roublardise avec laquelle Béatrice manie la flatterie pour obtenir ce qu'elle veut. "Alors Borges s'est tourné vers moi, me dit Estela, bien qu'il pût à peine me voir sous les réverbères brumeux, et il m'a demandé si je voulais l'épouser."

Mi-amusée, mi-sérieuse, elle lui répondit qu'elle pourrait bien. "Mais, Georgie, n'oublie pas que je suis une disciple de Bernard Shaw. Nous ne pouvons pas nous marier si nous ne couchons pas d'abord ensemble." Pour moi, en face d'elle à table, elle ajouta : "Je savais qu'il n'oserait jamais."

Leur relation, quelle qu'elle fût, se poursuivit sans grande conviction pendant un an encore. D'après Estela, la rupture se produisit à cause de la mère de Borges qui, sans cesse à chaperonner

son fils, n'estimait guère ses amies. Plus tard,
en 1967, après que sa mère avait apparemment
consenti à son mariage avec Elsa Astete de Millán
("Je pense que cela te conviendra d'épouser
Elsa, parce qu'elle est veuve et qu'elle connaît
la vie"), le commentaire d'Estela fut : "Elle lui a
trouvé une remplaçante." Le mariage fut néanmoins désastreux. Jalouse de toute personne
pour qui Borges éprouvait de l'affection, Elsa
lui interdisait d'aller voir sa mère et n'invitait
jamais celle-ci chez eux. Elsa ne partageait aucun
de ses intérêts littéraires. Elle lisait très peu.
Borges aimait raconter ses rêves chaque matin,
avec le café et les toasts ; Elsa ne rêvait pas, ou
prétendait ne pas rêver, ce que Borges trouvait
inconcevable. Elle aimait par contre les hon-
neurs que la notoriété valait à Borges et qu'il
méprisait si emphatiquement. A Harvard, où Borges avait été invité à faire une conférence, elle
insista pour qu'il touchât des honoraires plus
élevés et pour qu'on les installât plus luxueuse-
ment. Une nuit, un des professeurs trouva
Borges devant la résidence, en pantoufles et
pyjama. "Ma femme m'a mis à la porte", expliqua-
t-il, très embarrassé. Le professeur emmena
Borges chez lui pour la nuit et, le lendemain
matin, demanda raison à Elsa. "Ce n'est pas
vous qui êtes obligé de le voir sous les draps",
répondit-elle. Une autre fois, dans leur appartement de Buenos Aires où j'étais allé le voir,
Borges attendit qu'Elsa sorte de la pièce puis
me demanda, en chuchotant : "Dis-moi, est-ce
que Beppo est là ?" Beppo était le gros matou
blanc de Borges. Je lui répondis qu'il était là, en
train de ronronner dans un des fauteuils. "Dieu
soit loué, fit Borges, en une scène sortie tout
droit de *Rire dans la nuit*, de Nabokov. Elle

m'a dit qu'il s'était enfui. Mais je l'entendais, et je me demandais si je perdais la tête."

Borges échappa à Elsa de manière indiscutablement peu glorieuse. Le divorce n'existait pas en Argentine, et son seul recours était donc la séparation légale. Le 7 juillet 1970, son traducteur américain, Norman Thomas DiGiovanni, vint le prendre en taxi à la Bibliothèque nationale (où Borges avait son bureau) et l'accompagna en secret à l'aéroport, où ils prirent l'avion pour Córdoba. Pendant ce temps, sur les instructions de Borges conseillé par DiGiovanni, un avocat et trois déménageurs sonnaient à la porte de l'appartement d'Elsa avec un mandat légal et l'ordre d'emporter les livres de Borges. Le mariage avait duré tout juste quatre ans.

Une fois de plus, Borges se dit que son destin n'était pas d'être heureux. La littérature offrait des consolations, mais jamais tout à fait assez, car elle rappelait aussi des souvenirs de chaque perte, de chaque échec, ce qu'il savait lorsqu'il écrivit les derniers vers du premier sonnet du diptyque *1964* :

> *Nul ne saurait rien perdre, en vain répètes-tu,*
> *Que le bien qu'il n'a pas et qu'il n'a jamais eu ;*
> *Mais tu restes celui que sa perte accapare,*
> *Et le courage n'apprend pas l'art d'oublier.*
> *Un symbole, une fleur que midi fait plier*
> *Te déchirent. Tu peux mourir d'une guitare\*.*

Tout au long de sa vie presque centenaire, il était tombé amoureux avec une patiente régularité et, avec une patiente régularité, ses espoirs

---

\* In *L'Autre, le même*, trad. Jean-Pierre Bernès et Nestor Ibarra, *Œuvres complètes*, t. II, "Bibliothèque de la Pléiade", Gallimard.

avaient fait long feu. Il enviait les alliances littéraires que nous rencontrions dans nos lectures :
le soldat britannique John Holden et Ameera,
son épouse indienne, dans *Without Benefit of
Clergy*, de Kipling ("Depuis quand es-tu esclave,
ma reine ?"), les chastes Sigurd et Brynhild de
la *Völsunga saga* (dont deux vers sont aujour-
d'hui gravés sur sa tombe à Genève), Stevenson
et Fanny (que Borges imaginait heureux), Chesterton et son épouse (qu'il imaginait satisfaits).
On peut cueillir la longue liste des noms des
bien-aimées de Borges dans les dédicaces de
ses récits et poèmes. Estela Canto, Haydée Lange,
María Esther Vázquez, Ulrike von Kühlmann,
Silvina Bullrich, Beatriz Bibiloni Webster de
Bullrich, Sara Diehl de Moreno Hueyo, Margot
Guerrero, Cecilia Ingenieros – "toutes uniques,
comme disait Bioy, et toutes irremplaçables".

Un soir, devant ses habituelles pâtes incolores
au restaurant de l'hôtel *Dora*, il me raconta qu'il
croyait, d'une foi littéraire, à ce qu'il appelait "le
mystère des femmes et le destin héroïque des
hommes". Il se sentait incapable de recréer ce
mystère sur le papier ; les rares femmes, dans
ses récits, sont des entraves à l'intrigue et non
des personnages en elles-mêmes, sauf peut-être
Emma Zunz la vengeresse, dont une femme,
Cecilia Ingenieros, lui avait donné l'idée. Les
deux artistes rivales dans *Le Duel* (un récit qui
reconnaît dans les formes sa dette envers Henry
James) sont asexuées, sinon par leurs prénoms,
et il en va de même pour le personnage de
*La Vieille Dame*. Dans *L'Intruse*, la femme partagée n'est guère qu'un objet que les frères rivaux
doivent tuer afin de se rester fidèles. La plus
étrange de toutes les femmes imaginées par Borges, Ulrica, dans le récit éponyme, est moins

une femme qu'un fantôme : cette jeune étudiante norvégienne se donne au vieux professeur colombien Javier Otárola, qu'elle appelle Sigurd et qui, de son côté, l'appelle Brynhild. Elle semble d'abord consentante, puis froide, et Otárola lui dit : "Brynhild, tu marches comme si tu voulais qu'entre nous deux il y ait une épée dans le lit." A la fin du récit, "Il n'y avait pas d'épée entre nous deux. Le temps s'écoulait comme du sable. Séculaire, dans l'ombre, l'amour déferla et je possédai pour la première et la dernière fois l'image d'Ulrica*."

Les hommes de Borges, eux, accomplissent leurs destinées héroïques avec une détermination stoïque, sans presque savoir s'ils sont parvenus à quelque chose, conscients quelques fois d'avoir échoué. Le mage rêveur des *Ruines circulaires*, qui comprend que lui aussi est le rêve de quelqu'un, le romancier laborieux Herbert Quain, qui reconnaît que son art relève "non de l'art, mais de la seule histoire de l'art", le détective métaphysique Erik Lönrrot, qui marche de plein gré vers sa mort, l'irrémissible nazi Otto Dietrich zu Linde, qui invente pour lui-même l'illustre épitaphe "Que le ciel existe, même si notre place est en enfer", le prisonnier à face de taureau attendant patiemment dans son labyrinthe que son sauveur le frappe, l'auteur dramatique Jaromir Hladík, pour qui Dieu accomplit en secret un miracle afin de lui permettre de terminer une pièce avant de mourir, le sédentaire Juan Dahlmann à qui, dans *Le Sud*, est soudain offerte une mort épique en couronnement de sa vie paisible – tous sont des

* In *Le Livre de sable*, trad. Françoise-Marie Rosset, Gallimard, 1978.

hommes dont Borges avait l'impression de partager le sort. "Platon qui, comme tous les hommes, était malheureux…" : ainsi commençait l'une de ses conférences à l'université de Buenos Aires. Je crois que Borges ressentait cela comme l'inéluctable vérité.

Borges avait souhaité une union simple, sans complications ; le destin lui en attribua qui paraissaient combinées par Henry James, dont il considérait les arguments comme parfois trop alambiqués sur le plan psychologique, bien qu'il en admirât beaucoup l'invention. Sa dernière tentative de se marier, avec María Kodama, semble avoir eu lieu le 26 avril 1986, moins de deux mois avant sa mort, sur la foi d'une licence délivrée *in absentia* par le maire d'une petite ville du Paraguay. Je dis "semble avoir", parce que la procédure fut voilée de mystère et que, le mariage de Borges avec Elsa n'ayant jamais été annulé, il paraîtrait qu'en épousant María il se rendît coupable de bigamie. María avait été l'une de ses étudiantes au cours d'anglo-saxon et plus tard, dans les années soixante, elle avait commencé à l'accompagner dans ses voyages. Son mariage avec Borges surprit la plupart des gens et en fâcha beaucoup qui estimaient qu'elle avait délibérément éloigné le vieil homme de ses amis. La vérité, c'est que les amis de Borges étaient jaloux de toute personne à qui Borges témoignait de l'affection ou de l'intérêt et que Borges, obstiné comme Jéhovah, laissait s'épanouir ces jalousies.

A présent, passé quatre-vingts ans et pris en charge par María, Borges ne dînait plus chez les Bioy et avait cessé de voir beaucoup de ses vieilles connaissances : tout cela, on le reprochait à María, jamais à l'inconstance de Borges.

Personne ne se rappelait qu'au cours des années Borges avait souvent effacé un nom de la dédicace d'un poème pour le remplacer, à la suite d'un revirement enfantin de ses affections, par celui d'un récipiendaire plus récent ; les nouveaux gommages furent attribués à María. Même le fait qu'il soit mort à Genève, loin de son éternelle Buenos Aires, on l'imputa à la jalousie de María. Un jour ou deux avant sa mort, Borges appela Bioy de Genève. Bioy raconte qu'il semblait d'une tristesse infinie. "Que fais-tu à Genève ? Rentre chez toi", lui dit Bioy. "Je ne peux pas, répondit Borges. Et, de toute façon, n'importe quel endroit est assez bon pour y mourir." Bioy avoua qu'en dépit de leur amitié il s'était senti, en tant qu'écrivain, hésitant à intervenir sur une si belle chute.

Mais il y en eut – l'éditeur de Borges chez Gallimard, Héctor Bianciotti, par exemple, et la veuve de Cortázar, Aurora Bernárdez – qui ne voyaient en María Kodama qu'une compagne dévouée et zélée. Selon eux, Borges avait enfin rencontré son incorruptible Béatrice, jalouse, lointaine et protectrice. Borges avait confié à Bianciotti : "Je meurs d'un cancer du foie, et j'aimerais finir mes jours au Japon. Mais je ne parle pas le japonais, à peine quelques mots, et j'aimerais pouvoir passer mes dernières heures à parler." De Genève, il demanda à Bianciotti de lui envoyer des livres dont il n'avait jamais parlé dans ses écrits : les comédies de Molière, les poèmes de Lamartine, les œuvres de Remy de Gourmont. Alors Bianciotti comprit : ces livres étaient ceux que Borges lui avait dit avoir lus à Genève lorsqu'il était adolescent. Le dernier qu'il choisit fut *Heinrich von Ofterdingen*, de Novalis, qu'il pria l'infirmière, qui parlait l'allemand, de lui lire pendant la longue et pénible attente. La veille de sa mort, Bianciotti lui rendit visite et passa la nuit assis près de son lit, en lui tenant sa vieille main, jusqu'au lendemain matin.

Borges est mort le 14 juin 1986. Dix ans plus tard, comme je relisais *L'Aleph* en souvenir de lui, je me suis demandé où j'avais rencontré l'idée de l'espace englobant tout dans l'œuvre de Borges – le *nunc stans* ou *hic stans* de Hobbes cité en exergue de *L'Aleph\**. Je cherchai dans mes deux étagères de Borges : les éditions originales Emecé, fatiguées, truffées de coquilles ; les gros volumes des *Obras completas* et *Obras completas en colaboración,* incomplets et non moins fautifs ; l'édition Alianza, un peu plus prolixe ; les traductions anglaises abominables ; la superbe édition française de ses *Œuvres* en Pléiade, éditée par Bernès avec tant de goût que dans mon esprit elle a presque pris la place de l'original espagnol. (Borges ne s'en serait sans doute pas offusqué : il a un jour dit de la version

---

\* Deux sources premières de *L'Aleph* pourraient être : 1) La vision de saint Benoît de Nurcie qui, peu avant sa mort vers 547, releva les yeux de ses prières et vit dans les ténèbres devant sa fenêtre que "le monde entier paraissait rassemblé en un seul rayon de soleil et ainsi amené devant ses yeux" (T. F. Lindsay, *St Benedict, His Life and Work,* Londres, 1949). 2) Dans un conte du rabbin Nachman, de Breslau, à la fin du XVIII<sup>e</sup> siècle, est décrite une carte où l'on voit "le monde à toutes les époques, et tout ce qui est arrivé un jour y était représenté, le destin des pays, des cités et des hommes et tous les chemins vers ce monde et les chemins cachés vers des mondes lointains. Chaque chose s'y trouvait telle qu'elle était au moment où le monde fut créé, telle qu'elle avait été depuis, et telle qu'elle était en ce jour" (Martin Buber, *The Tales of Rabbi Nachman,* trad. Maurice Friedman, Avon Books, New York, 1970).

anglaise de *Vathek*, de Beckford, écrit en français, que l'original était "infidèle à la traduction".)

Roger Caillois, l'homme qui a fait connaître Borges en France ("Je suis une invention de Caillois", a dit Borges un jour), a suggéré que le thème central du maître était le labyrinthe ; comme pour confirmer cette suggestion, le plus célèbre recueil de textes de Borges traduits en anglais avec une certaine maladresse porte ce titre au pluriel. Non sans surprise (moi qui croyais bien connaître l'œuvre de Borges), en relisant ses livres, je me suis aperçu que, bien plus que le labyrinthe, c'est l'idée d'un lieu, d'une personne ou d'un instant qui est tous les lieux, toutes les personnes et tous les instants, qui imprègne l'ensemble des écrits de Borges.

J'ai dressé une liste d'après les dernières pages de mon volume de la Pléiade, mais je suis sûr qu'elle est loin d'être exhaustive.

On trouve en tête le plus évident : *Le Zahir*, pièce jumelle de *L'Aleph*. Le *zahir*, qui signifie "visible" en arabe, est un objet (une pièce de monnaie, mais aussi un tigre, un astrolabe) que, dès lors qu'on l'a vu, on ne peut oublier. Citant le vers de Tennyson à propos de la fleur dans un mur lézardé, Borges dit "qu'il n'y a aucun fait, si humble soit-il, qui n'implique l'histoire universelle et son enchaînement infini d'effets et de causes". Ensuite vient la célèbre bibliothèque de Babel, "que certains appellent l'Univers" et qui contient tous les livres possibles, y compris "le récit véridique de ma mort". Cette bibliothèque infinie est abrégée en un seul volume aux pages infiniment minces, mentionné dans une note au bas du récit du même nom et développé plus tard dans *Le Livre de sable*. L'encyclopédie universelle que recherche le narrateur dans le long récit intitulé *Le Congrès* n'est pas impossible : elle

existe déjà, c'est l'univers même, telle la carte
de la Nation des Cartographes (dans *L'Auteur*),
dont Lewis Carroll avait eu une première vision
dans *Sylvie et Bruno* et qui, dans la courte fable
de Borges, coïncide avec le pays qu'elle entreprend de cartographier.

Dans l'œuvre de Borges, comme les lieux et
les objets, les personnages aussi peuvent contenir l'univers. Sir Thomas Browne, que Borges
aimait profondément, l'a dit pour tous les temps :
"L'homme n'est pas seulement lui-même ; il
y a eu beaucoup de Diogène, et tout autant de
Timon, bien que rarement sous le même nom :
les vies des hommes sont revécues, le monde
est aujourd'hui tel qu'il était dans les temps
passés ; il n'y avait personne alors, mais il y a
eu quelqu'un depuis qui lui ressemble et est,
en quelque sorte, lui-même revécu." Ce paragraphe enchantait Borges et il me demanda plusieurs fois de le lui lire. Il approuvait la formule
apparemment naïve de Browne, "bien que rarement sous le même nom", qui "nous le rend cher,
hein ?" et gloussait sans vraiment attendre de
réponse. L'un des premiers de ces personnages
"revécus" est Tom Castro, l'improbable impos-
teur d'*Une histoire universelle de l'infamie*, qui,
bien qu'à moitié idiot et ne parlant pas un mot
d'anglais, tente de se faire passer pour l'aristocratique héritier anglais Tichborne, en vertu du
dicton selon lequel tout homme est en réalité
tous les hommes. Il y a d'autres versions de ce
personnage protéiforme : l'inoubliable et inoubliable Funes (dans *Funes ou la Mémoire*), dont
la mémoire est un dépotoir de tout ce qu'il a vu
durant sa courte vie ; le philosophe arabe Averroès (dans *La Quête d'Averroès*) qui s'efforce,
d'un siècle à l'autre, de comprendre Aristote, tel

Borges lui-même en quête d'Averroès, et le lecteur en quête de Borges ; l'homme qui a été
Homère (dans *L'Immortel*), et qui a été aussi un
échantillonnage de tous les hommes tout au long
de notre histoire et a créé un homme appelé
Ulysse qui dit s'appeler Personne ; Pierre Menard
qui devient Cervantes afin d'écrire, de nouveau
mais en notre temps, *Don Quichotte*. Déjà, dans
l'épigraphe d'un de ses premiers recueils de
poèmes, *Ferveur de Buenos Aires*, publié en 1923,
Borges avait écrit : "Si les pages de ce livre con-
sentent un seul vers heureux, que le lecteur me
pardonne la discourtoisie de l'avoir moi-même
usurpé, antérieurement. Nos riens sont à peine
différents ; c'est par une circonstance triviale et
fortuite que vous êtes le lecteur de ces exercices
et moi leur auteur." Dans *Everything and Nothing*,
Shakespeare implore Dieu de lui permettre, à lui
qui a été tant d'hommes, d'être un et lui-même.
Dieu confie à Shakespeare que, Lui non plus, Il
n'est rien. "J'ai rêvé le monde [dit Dieu] comme
tu as rêvé ton œuvre, mon Shakespeare, et parmi
les formes de mon rêve il y a toi qui, comme
Moi, es beaucoup et personne." Dans *La Lote-
rie à Babylone*, tout homme a été proconsul,
tout homme a été esclave : c'est-à-dire que tout
homme a été tout homme. Ma liste comprend
aussi cette note avec laquelle Borges termine sa
critique du film de Victor Fleming, *Docteur Jekyll
et Mister Hyde* : "Au-delà de la parabole dualiste
de Stevenson, et proche du *Colloque des oiseaux*
composé au XIIe siècle de notre ère par Farîd al-
Dîn 'Attâr, nous pouvons imaginer un film pan-
théiste dont les nombreux personnages, à la fin,
se résolvent en Un, qui est éternel." Cette idée
devint un scénario écrit par Bioy *(Les Autres)* et
puis un film dirigé par Hugo Santiago.

Même dans la conversation quotidienne de Borges, le thème du tout-en-un était constamment présent. Quand je l'ai vu, brièvement, après la déclaration de guerre aux Malouines, nous avons, comme d'habitude, parlé de littérature et nous avons abordé le thème du double. Borges me dit d'un air triste : "Pourquoi penses-tu que personne n'a remarqué que le général Galtieri et Mrs Thatcher sont une seule et même personne ?" Une autre fois, en guise de consolation à Silvina Ocampo pour la mort d'un chien très aimé, il tenta d'utiliser le cliché platonicien : "Tu n'as pas perdu un chien, un chien est tous les chiens et tous les chiens sont ton chien mort…" Silvina ne lui envoya pas dire ce qu'il pouvait faire de cet argument métaphysique.

Mais cette multiplicité d'êtres et de lieux, cette invention d'un être éternel et d'un lieu éternel, ne suffit pas au bonheur, que Borges considérait comme un impératif moral, et dans un récit apocryphe ajouté à *L'Auteur*, Borges (sous le nom de Gaspar Camerarius) entonne son *regret d'Héraclite* long de deux vers :

> *Moi, qui fus tant d'hommes, je n'ai jamais été*
> *Celui dans l'étreinte de qui défaillait*
> *Mathilde Urbach\**.

Quatre ans avant sa mort, Borges publiait encore un livre, *Neuf essais sur Dante*, composé de textes écrits dans les années quarante et cinquante et revus bien plus tard. Dans le premier paragraphe de son introduction, Borges imagine une gravure ancienne découverte dans une bibliothèque orientale inventée, où tout ce qui existe au monde est méticuleusement représenté.

---

\* In *L'Auteur*, trad. Roger Caillois, Gallimard.

Borges suggère que le poème de Dante est pareil à cette gravure figurant l'univers, la *Commedia* comme l'Aleph.

L'écriture des essais, c'est la voix de Borges : lente, précise et asthmatique ; en tournant les pages, j'entends ses hésitations délibérées, le ton ironique et interrogateur sur lequel il aimait conclure ses remarques les plus originales, le *recitativo* solennel des longues citations qu'il faisait de mémoire. Son neuvième essai sur Dante, "Le dernier sourire de Béatrice", débute par une déclaration qu'il aurait faite avec la plus désarmante simplicité : "J'ai l'intention de commenter les vers les plus émouvants de toute la littérature. Ils font partie du trente et unième chant du *Paradiso* et, malgré leur célébrité, personne ne semble avoir remarqué le chagrin qu'ils recèlent, personne ne les a entendus tout à fait. Il est vrai que la substance tragique qu'ils contiennent appartient moins au livre qu'à l'auteur du livre, moins à Dante le protagoniste qu'à Dante l'auteur ou l'inventeur."

Borges raconte alors l'histoire. Très haut sur le sommet du mont Purgatoire, Dante perd Virgile de vue. Guidé par Béatrice, dont la beauté croît lors de la traversée de chaque nouveau ciel, il atteint l'Empyrée. Dans cette région infinie, les objets très éloignés ne sont pas moins nettement visibles que ceux qui sont proches ("comme dans une toile préraphaélite", note Borges). Dante aperçoit, très loin au-dessus de lui, un fleuve de lumière, des essaims d'anges et la Rose composée par les âmes des justes, rangées en cercles bien ordonnés. Dante se retourne pour écouter Béatrice lui parler de ce qu'il a vu, mais sa Dame a disparu. Au lieu d'elle, il voit un vénérable vieillard. "Et elle ? Où est-elle ?"

s'écrie Dante. Le vieillard conseille à Dante de lever les yeux et c'est alors qu'il l'aperçoit, couronnée de gloire, très haut, dans l'un des cercles de la Rose, et qu'il lui adresse sa prière d'action de grâces. On lit alors dans le texte (dans la traduction de Jacqueline Risset)

> *Je priai ainsi ; et elle, si lointaine*
> *Qu'elle paraissait, sourit et me regarda,*
> *Puis elle se tourna vers l'éternelle fontaine.*

Borges (toujours habile) faisait remarquer que "paraissait" se rapporte à l'éloignement mais contamine aussi affreusement le sourire de Béatrice.

Comment expliquer ces vers ? demande Borges. Les annotateurs allégoriques ont vu en la Raison (Virgile) un instrument pour atteindre la foi, et en la Foi (Béatrice) un instrument pour atteindre la divinité. L'une et l'autre disparaissent lorsque le but est atteint. "Cette explication, ajoute Borges, ainsi que le lecteur l'aura remarqué, est aussi contestable que frigide ; jamais ces vers ne sont nés d'une aussi misérable équation."

Le critique Guido Vitali (que Borges avait lu) a suggéré que Dante, en créant son Paradis, était animé par le désir d'offrir un royaume à sa Dame. "Mais j'irai plus loin, dit Borges. Je soupçonne Dante d'avoir édifié le plus beau livre de la littérature pour y introduire quelques rencontres avec l'irrécupérable Béatrice. Ou mieux, les cercles du châtiment, le Purgatoire austral, les neuf cercles concentriques, Francesca, la sirène, le griffon et Bertrand de Born sont des intercalations ; un sourire et une voix, qu'il sait perdus à jamais, sont l'élément fondamental."

Borges nous accorde alors l'ombre d'une confession : "Qu'un homme malheureux imagine le bonheur, cela n'a rien d'extraordinaire ; tous, nous faisons cela, tous les jours. Dante le fait, tout comme nous, mais quelque chose, toujours, nous permet de deviner l'horreur derrière ces fictions heureuses." Il poursuit : "Le vieillard désigne l'un des cercles de la noble Rose. Là, tout auréolée, se trouve Béatrice ; Béatrice dont les yeux le remplissaient jadis d'une insoutenable béatitude, Béatrice qui se vêtait de robes rouges, Béatrice à qui il avait tant pensé qu'il était étonné de constater que certains pèlerins, rencontrés un matin à Florence, n'avaient jamais entendu parler d'elle, Béatrice qui un jour l'avait battu froid, Béatrice morte à vingt-quatre ans, Béatrice de Folco Portinari qui avait épousé Bardi." Dante la voit et la prie comme il prierait Dieu, mais aussi comme il implorerait une femme désirée :

> *O dame en qui prend vie mon espérance*
> *Et qui souffris pour mon salut*
> *De laisser en enfer la trace de tes pas...*

Un bref instant, Béatrice baisse alors les yeux vers lui, elle sourit, puis elle se retourne pour toujours vers l'éternelle fontaine de lumière.

Et Borges conclut : "Tenons-nous-en à un fait indiscutable, un seul et humble fait : cette scène a été *imaginée* par Dante. Pour nous, elle est très réelle ; pour lui, elle l'était moins. (La réalité, pour lui, c'était le fait que d'abord la vie et puis la mort lui avaient enlevé Béatrice.) Privé pour toujours de Béatrice, seul et peut-être humilié, il a imaginé la scène afin de s'imaginer auprès d'elle. Malheureusement pour lui, heureusement pour les siècles qui allaient le lire, sa conscience du caractère imaginaire de la rencontre a déformé la vision. C'est pourquoi ces événements atroces se produisent – d'autant plus infernaux, bien sûr, qu'ils ont lieu au plus haut des cieux, dans l'Empyrée : la disparition de Béatrice, le vieillard qui prend sa place, sa soudaine ascension dans la Rose, le sourire et le regard fugitifs, l'attention à jamais détournée."

Je me défends de voir dans la lecture d'un homme, si brillante que puisse être cette lecture, un reflet de lui-même ; comme Borges le soutiendrait certainement, lui qui défendait la liberté du lecteur de choisir et de rejeter, aucun livre ne peut servir de miroir à chacun de ses lecteurs. Mais dans le cas des *Neuf essais*, je pense que l'inférence est justifiée et que la lecture que fait Borges du destin de Dante m'aide à lire celui de Borges. Dans un court essai publié dans *La Prensa* en 1926, Borges lui-même écrivait : "J'ai toujours déclaré que la finalité permanente de la littérature était de présenter nos destins."

Borges suggérait que Dante a écrit la *Commedia* afin de se trouver pendant un instant en compagnie de Béatrice. Il ne paraît pas impossible que d'une certaine manière, afin de se trouver en compagnie d'une femme, n'importe laquelle des nombreuses femmes qu'il a désirées, afin d'accéder à son mystère, d'être plus qu'un simple artisan des mots, d'être ou de tenter d'être un amant et d'être aimé pour lui-même et non pour ses inventions, Borges ait créé et recréé l'Aleph tout au long de son œuvre. Dans ce lieu imaginaire et global où se produisent tout le possible et l'impossible, entre les bras de l'homme qui est tous les hommes, elle, l'inaccessible, pourrait lui appartenir ou, si elle ne le voulait toujours pas, elle pourrait ne pas lui appartenir dans des circonstances moins douloureuses puisqu'il les aurait lui-même inventées.

Mais ainsi que le savait très bien ce maître en son art, les lois de l'invention ne sont pas plus flexibles que celles du monde dit réel. Teodelina Villar dans *Le Zahir*, Beatriz Viterbo dans *L'Aleph* n'aiment pas le narrateur intellectuel qui les aime. Dans l'intérêt du récit, ces femmes sont des Béatrices indignes – Teodelina est une snob, elle est esclave de la mode, moins soucieuse "de beauté que de perfection" ; Beatriz est une beauté mondaine animée d'une passion obscène pour son odieux cousin – parce que, pour que la fiction fonctionne, le miracle (la révélation de l'Aleph, ou celle du mémorable *zahir*) doit se produire au milieu de mortels aveugles et indignes, y compris le narrateur.

Borges a dit un jour que le héros moderne n'a pas pour destin d'atteindre Ithaque ni le Saint-Graal. Sa tristesse, sur la fin, venait peut-être de ce qu'il avait compris que, loin de lui accorder la sublime rencontre érotique tant désirée, son art exigeait qu'il échouât : Beatriz ne devait pas être Béatrice, il ne devait pas être Dante, il ne serait que Borges, un rêveur amoureux tâtonnant, incapable encore, même dans sa propre imagination, de susciter la femme unique qui l'eût comblé, la créature quasi parfaite de ses rêves éveillés.

# LA MORT DE CHE GUEVARA

*Je crois en l'ultime décence des choses.*

ROBERT LOUIS STEVENSON,
23 août 1893.

L E 8 OCTOBRE 1967, un petit bataillon de ran-
gers de l'armée bolivienne prit au piège
un groupe de guérilleros dans un ravin
broussailleux et sauvage à l'est de Sucre, près
du village de La Higuera. Deux d'entre eux furent
pris vivants : un combattant bolivien connu
simplement sous le nom de Willy et Ernesto
"Che" Guevara, héros de la révolution cubaine,
leader de ce que le président bolivien, le général René Barrientos, appelait "l'invasion étran-
gère des agents du castro-communisme". Le
lieutenant-colonel Andrés Selich, dès qu'il apprit
la nouvelle, monta dans un hélicoptère et se
rendit à La Higuera. Dans l'école délabrée, Selich
eut avec son prisonnier un dialogue de quarante-
cinq minutes. Jusqu'à très récemment, on savait
peu de chose des dernières heures du Che ;
après un silence de vingt-neuf ans, la veuve de
Selich a enfin autorisé le journaliste américain
Jon Lee Anderson à consulter les notes de Selich
au sujet de cette conversation extraordinaire.
Outre leur importance en tant que document

historique, le fait que les dernières paroles d'un homme aient été fidèlement consignées par son ennemi a quelque chose de poignant.

"*Comandante*, je vous trouve un peu déprimé, dit Selich. Pouvez-vous expliquer les raisons pour lesquelles j'ai cette impression ?

— J'ai échoué, répondit le Che. Tout est fini, voilà la raison pour laquelle vous me voyez dans cet état.

— Etes-vous cubain ou argentin ? demanda Selich.

— Je suis cubain, argentin, bolivien, péruvien, équatorien, etc. Vous comprenez.

— Qu'est-ce qui vous a fait décider d'opérer dans notre pays ?

— Ne voyez-vous pas les conditions dans lesquelles vivent les paysans ? demanda le Che. Ce sont presque des sauvages, ils vivent dans un état de pauvreté qui serre le cœur, avec une seule chambre pour dormir et cuisiner et rien à se mettre sur le dos, abandonnés comme des animaux…

— Mais c'est la même chose à Cuba, rétorqua Selich.

— Non, ce n'est pas vrai, répliqua vertement le Che. Je ne nie pas que la pauvreté existe à Cuba, mais [au moins] les paysans y ont une illusion de progrès, alors que le Bolivien vit sans espoir. Tel qu'il est né, il meurt, sans jamais voir d'amélioration à sa condition humaine."

La CIA voulait le Che vivant, mais l'ordre ne parvint peut-être jamais à son agent cubain, Félix Rodriguez, chargé de superviser l'opération. Le Che fut abattu le lendemain. Pour que leur captif paraisse avoir été tué au combat, les exécuteurs visèrent ses jambes et ses bras. Ensuite, tandis que le Che se tordait sur le sol "en se

mordant un poignet, sans doute pour s'empêcher de crier", une dernière balle lui pénétra la
poitrine et le sang envahit ses poumons. Le corps
du Che fut transporté à Vallegrande où il resta
exposé pendant quelques jours, observé par les
officiels, des journalistes et des gens de la ville.
Selich et d'autres officiers se tenaient à la tête,
posant pour les photographes, avant de faire
"disparaître" le corps dans une tombe secrète
près de l'aéroport de Vallegrande. La photographie du Che mort, avec l'inévitable écho du
Christ mort (le corps maigre à demi nu, le visage
barbu et douloureux), devint l'une des principales icônes de ma génération, une génération
âgée de dix ans à peine lorsque se produisit la
révolution cubaine, en 1959.

J'ai appris la nouvelle de la mort de Che Guevara vers la fin de ma première et unique année
d'université à Buenos Aires. Il faisait chaud en
ce mois d'octobre (l'été avait commencé tôt
en 1967) et nous avions, mes amis et moi, le
projet de partir vers le sud et d'aller camper dans
les Andes, en Patagonie. C'était une région que
nous connaissions bien. Nous avions fait des
randonnées en Patagonie presque tous les étés
pendant nos études secondaires, sous la conduite
enthousiaste de moniteurs de gauche dont les
credos politiques allaient du stalinisme conservateur à l'anarchisme libre-penseur, d'un trotskisme
mélancolique au socialisme façon argentine
d'Alfredo Palacios et dont les sacs de livres, que
nous dévalisions lorsque nous étions assis autour
du feu de camp, comportaient les poèmes de
Mao Tsé-toung (selon l'orthographe démodée),
de Blas de Otero et de Neruda, les nouvelles de
Saki et de Juan Rulfo, les romans d'Alejo Car-
pentier et de Robert Louis Stevenson. Un récit

de Cortázar portant en épigraphe une phrase extraite des journaux du Che nous amena à discuter des idéaux de la révolution cubaine. Nous chantions des chants de la guerre civile espagnole et de la résistance italienne, le chant entraînant des *Bateliers de la Volga* et la scabreuse rumba *Amplia de caderas es mi puchungita* ("Ma petite chérie a de grosses fesses"), divers tangos et de nombreuses sambas argentines. Le moins qu'on puisse dire, c'est que nous étions éclectiques.

Camper dans le Sud n'était pas un simple exercice de tourisme. Notre Patagonie n'était pas celle de Chatwin. Pleins de ferveur juvénile, nos moniteurs voulaient nous faire découvrir la face cachée de la société argentine – une face que nous, de nos maisons confortables à Buenos Aires, n'avions jamais l'occasion de voir. Nous avions une vague idée des taudis qui entouraient nos quartiers prospères – les *villas miseria*, comme nous les appelions, "villages de misère" – mais nous ne savions rien des conditions de quasi-esclavage, telles que décrites par le Che à Selich, qui existaient encore pour de nombreux paysans dans les vastes domaines de notre pays, non plus que du génocide systématique des indigènes qui avait été entrepris officiellement par l'armée presque jusqu'à la fin des années trente. Avec des intentions plus ou moins sérieuses, nos moniteurs voulaient nous montrer "l'Argentine réelle".

Un après-midi, près de la ville d'Esquel, nos moniteurs nous emmenèrent dans un canyon profond et rocailleux. Nous marchions à la file, en nous demandant où allait nous mener ce corridor de pierre poussiéreux et peu engageant, quand, très haut dans les parois du canyon, nous aperçûmes des ouvertures, comme des entrées de cavernes, et dans ces ouvertures les visages hâves et maladifs d'hommes, de femmes et d'enfants. Les moniteurs nous firent marcher jusqu'au bout du canyon et revenir, sans un mot, mais quand nous dressâmes le camp pour la nuit ils nous parlèrent de l'existence des gens que nous avions vus, qui habitaient dans les rochers comme des animaux, gagnant maigrement leur vie à des travaux agricoles temporaires, et dont les enfants dépassaient rarement l'âge de sept ans. Le lendemain matin, deux de mes camarades de classe demandèrent à leur moniteur comment ils pouvaient entrer au parti communiste. D'autres choisirent une voie moins pacifique. Plusieurs d'entre nous furent des combattants dans la lutte contre la dictature militaire dans les années soixante-dix ; l'un d'eux, Mario Firmenich, devint le *capo* sanguinaire du mouvement de guérilla des Monteneros et détint pendant des années la douteuse célébrité de tête de liste des hommes recherchés par les militaires.

La nouvelle de la mort du Che paraissait colossale et pourtant presque attendue. Pour ma génération, le Che avait incarné l'individu social héroïque que, pour la plupart, nous nous sentions incapables de jamais devenir. Le curieux mélange de résolution et de témérité qui fascinait tellement ma génération, et encore la suivante, trouvait dans le Che son incarnation parfaite. A nos yeux, il était, dans la vie, un personnage déjà légendaire, dont nous ne doutions pas que l'héroïsme survivrait à la mort. Nous ne fûmes pas surpris d'apprendre qu'après la disparition du Che, Rodriguez, le perfide agent de la CIA, avait soudain commencé à souffrir d'asthme, comme s'il avait hérité du mort sa maladie.

Le Che avait vu ce que nous avions vu, il s'était senti, comme nous, scandalisé par les injustices fondamentales de la "condition humaine" mais, contrairement à nous, il avait agi. Le fait que ses méthodes fussent douteuses, sa philosophie politique superficielle, sa morale impitoyable, sa réussite en fin de compte impossible paraissait (paraît encore, peut-être) moins important que le fait qu'il ait pris sur lui de combattre ce qu'il croyait mal même s'il ne fut jamais tout à fait certain de ce qui, à la place, serait bien.

Ernesto Guevara de la Serna (pour l'appeler par le nom qui lui fut donné avant que la renommée ne le réduisît à un simple "Che") est né dans la ville de Rosario, en Argentine, le 14 mai 1928, même si l'acte de naissance fut daté de juin afin de cacher la raison du mariage précipité de ses parents. Son père, dont les premiers ancêtres étaient arrivés en Argentine avec les conquistadors, était le propriétaire d'une plantation dans la province subtropicale de Misiones. A cause de l'asthme d'Ernesto – il en souffrit sa vie durant –, la famille alla s'installer sous le climat plus salubre de Córdoba, et plus tard, en 1947, à Buenos Aires. Là, Ernesto étudia à la faculté de médecine et, armé de son titre de docteur, entreprit d'explorer le continent sud-américain "dans toutes ses terribles merveilles". Il fut passionné par ce qu'il voyait et trouva difficile d'abandonner la vie errante : d'Equateur il écrivit à sa mère pour lui annoncer qu'il était devenu "un aventurier à cent pour cent". Parmi les nombreuses personnes qu'il croisa au cours

de son "grand tour", un homme en particulier
semble l'avoir hanté : un vieux réfugié marxiste
échappé aux pogroms de Staline, qu'il rencontra
au Guatemala. "Tu mourras poing et mâchoire
serrés, lui prédit ce Tirésias visionnaire, en parfaite
manifestation de haine et de combat, parce que tu
n'es pas un symbole, tu es un membre authentique d'une société qui se délite : l'esprit de la
ruche parle par ta bouche et agit par tes actes ; tu
es aussi utile que moi, mais tu ne connais pas
l'utilité de l'aide que tu apportes à la société qui te
sacrifie." Ernesto ne pouvait savoir que le vieillard
lui avait, par ces mots, offert son épitaphe.

Au Guatemala, Ernesto prit une conscience
aiguë de la lutte politique et s'identifia pour la
première fois avec la cause révolutionnaire. Là
et, peu après, au Mexique, il fit connaissance
des émigrés cubains qui menaient le combat
contre le dictateur Fulgencio Batista, dont le
régime corrompu avait tellement fasciné Hemingway et Graham Greene. Avec un flair remarquable pour les fauteurs de trouble, l'agent de
la CIA David Atlee Phillips, chargé à l'époque
de l'Amérique centrale, ouvrit un dossier au
nom du jeune médecin argentin – dossier qui
au cours des ans devait devenir l'un des plus
épais des archives de la CIA. En juillet 1955 eut
lieu à Mexico la première rencontre entre Ernesto
Guevara et Fidel Castro. Celui-ci qui, dès 1948,
alors étudiant en droit et âgé de vingt et un ans,
avait commencé à conspirer contre le régime
de Batista, éprouva une sympathie immédiate
pour l'Argentin que les autres Cubains avaient
commencé à appeler "Che" d'après l'expression
argentine familière. "Je pense qu'il y a entre
nous une sympathie mutuelle", écrivit le Che
dans son journal. Il avait raison.

Après le triomphe de la révolution cubaine en 1959, le Che rechercha une suite ambitieuse. On ne peut savoir s'il aurait prêté son concours, par loyauté envers la révolution, aux mesures tyranniques que Castro allait imposer dans les années à venir afin de protéger son régime. La vision du Che portait loin dans le futur. Après la guerre à Cuba, pensait-il, les révolutionnaires allaient se disperser vers d'autres régions voisines (la Bolivie fut la première choisie). Là ils feraient la guerre aux oligarchies et à leurs patrons impérialistes, une guerre qui finirait par obliger le grand ennemi, les Etats-Unis, à entrer dans la mêlée. En conséquence, l'Amérique latine s'unirait contre "l'envahisseur étranger", suivant le modèle du Viêtnam, et vaincrait l'impérialisme sur le continent. Le combat du Che n'avait pas pour cible toute forme de pouvoir, non plus que la notion de société hiérarchisée. Ce n'était sûrement pas un anarchiste : il croyait à la nécessité d'une autorité organisée et il imaginait un Etat panaméricain sous la direction d'un gouvernement fort mais moral. Dans un petit livre intitulé *La Grèce antique à la découverte de la liberté*, Jacqueline de Romilly a observé que la révolte d'Antigone n'avait pas pour origine un rejet de l'autorité mais, au contraire, l'obéissance à une loi morale plutôt qu'à un édit arbitraire. Le Che se sentait, lui aussi, obligé d'obéir à de telles lois morales et c'est pour elles qu'il était prêt à sacrifier tout et tout le monde, y compris, bien sûr, lui-même. On le sait, les événements ne dépassèrent pas le cadre de la Bolivie. Le Che a-t-il jamais su quelle était l'utilité de son sacrifice : c'était – c'est une question qui reste sans réponse.

Et pourtant, quelque chose survit de son idéal par-delà la défaite politique, même en ce temps où l'avidité a presque acquis la qualité de vertu et où les ambitions corporatistes prennent le pas sur les considérations sociales (sans parler des principes socialistes). Pour une part, il est devenu une figure pittoresque de plus en Amérique latine, avec Zapata et Pancho Villa ; en Bolivie, l'Office national du tourisme organise aujourd'hui des visites du site de la dernière campagne du Che et de l'hôpital où son corps fut exposé. Mais ce n'est pas tout ce qui demeure. Le visage du Che – vivant, avec son béret à étoiles, ou mort, les yeux fixes, comme s'il regardait un point situé derrière notre épaule – semble incarner une vision vaste et héroïque du rôle des hommes et des femmes dans le monde, un rôle qui peut aujourd'hui nous paraître se situer totalement au-delà de nos capacités ou de nos intérêts.

Il ne fait aucun doute qu'il avait le *physique du rôle*. A la littérature épique, il faut une iconographie. Zorro et Robin des Bois (*via* Douglas Fairbanks et Errol Flynn) ont prêté leurs traits au Che durant sa vie, et dans l'imagination populaire il était un jeune don Quichotte, un jeune Garibaldi. Mort, ainsi que le remarquèrent les religieuses de l'hôpital de Vallegrande lorsqu'elles lui coupèrent subrepticement des mèches de cheveux afin de les conserver dans des reliquaires, il ressemblait au Christ après sa déposition de la croix, entouré d'hommes sombres en uniforme, tels des soldats romains en costume moderne. Dans une certaine mesure, le visage mort a supplanté le vivant. Dans un passage célèbre du documentaire long de quatre heures réalisé en 1968 par Fernando Solanas,

*L'Heure des brasiers*, brillante chronique de l'histoire de l'Argentine depuis ses débuts jusqu'à la mort du Che, la caméra demeure pendant plusieurs minutes fixée sur ce visage sans vie, obligeant le public à rendre un hommage visuel à l'homme qui a assumé pour nous notre besoin d'agir contre l'injustice, notre encombrante mauvaise conscience. Nous contemplons ce visage et nous nous demandons : à quel moment cet homme est-il passé de la déploration des douleurs de ce monde, de la compassion pour le sort des pauvres et de la condamnation, dans les conversations, de l'avidité sans merci des puissants, à l'engagement dans l'action ?

Il est peut-être possible de situer le moment où a eu lieu ce passage. Le 22 juillet 1957, pour la première fois, Che Guevara a tué un homme. Le Che et ses camarades marchaient dans la forêt cubaine ; c'était le milieu du jour. Un soldat se mit à tirer sur eux d'une hutte située à vingt mètres à peine de l'endroit où ils se trouvaient. Le Che tira deux fois. Au deuxième coup de feu, l'homme tomba. Jusqu'à ce moment, sa profonde indignation devant l'injustice universelle s'était exprimée en gestes byroniens, en mauvais poèmes qu'écrivait le Che avec des échos de l'emphase du XIXe siècle et en cette prose académique qu'en Amérique latine on qualifiait de révolutionnaire, ornée d'un vocabulaire de discours inaugural et de métaphores sentimentales et rebattues. Après ce premier mort, quelque chose changea. Le Che, intellectuel ardent mais conventionnel, devint irrévocablement homme d'action – destinée qui avait peut-être été la sienne depuis toujours, même si tout en lui semblait conspirer pour qu'il ne la réalisât jamais. Tourmenté par un asthme qui le faisait trébucher dans les longs discours, sans parler des longues marches, conscient du paradoxe que représentait sa naissance dans la classe bénéficiaire du système injuste qu'il avait entrepris de défier, lancé soudain dans l'action plus que dans la réflexion sur les buts précis de son action, le Che adopta, avec une détermination farouche, le rôle du héros romantique, et devint la figure dont ma génération avait besoin pour se mettre la conscience à l'aise.

Thoreau a déclaré, c'est notoire, que "L'action fondée sur les principes, la perception et l'application des droits, modifie les choses et les relations. Elle est essentiellement révolutionnaire, et ne consiste entièrement en rien de ce qui fut. Elle ne divise pas seulement les Etats et les Eglises, elle divise les familles. En vérité, elle divise l'individu, séparant en lui le diabolique du divin." Le Che (qui, comme tous les intellectuels argentins de son époque, devait avoir lu *La Désobéissance civile*) aurait été d'accord avec cette paraphrase de saint Matthieu.

# L'IMAGINATION AU POUVOIR !
## À LA MÉMOIRE
### DE JULIO CORTÁZAR

> *Quiconque ne lit pas Cortázar est condamné. Ne pas le lire, c'est une maladie grave et invisible qui, avec le temps, peut avoir des conséquences terribles.*
>
> *Un peu comme un homme qui n'aurait jamais goûté à une pêche, il deviendrait lentement de plus en plus triste, notablement plus pâle, et sans doute, peu à peu, perdrait-il tous ses cheveux.*
>
> PABLO NERUDA.

C'ÉTAIT EN 1964. Nous avions quinze ans et c'était notre troisième année au Colegio nacional de Buenos Aires, ce vaste édifice à l'allure de mausolée qui, depuis plus d'un siècle, formait des politiciens et des intellectuels pour la consommation de l'Etat. Nous y apprenions l'histoire de l'Argentine et de l'Espagne, le latin et la chimie, la géographie de l'Asie grâce à de longues listes de cours d'eau, de lacs et de montagnes, et quelque chose qu'on appelait l'hygiène, qui comprenait quelques notions d'anatomie et une éducation sexuelle rudimentaire. Pour nous, c'était l'Age des Décou- vertes : le socialisme, la métaphysique, l'art de la corruption et celui de la fraude, l'amitié, le surréalisme, Ezra Pound, les films d'horreur, les Beatles et le sexe. Sous l'influence d'une nouvelle de Borges qui suggérait que la réalité était une fiction, nous nous baladions dans les magasins proches du collège en demandant si l'on y vendait des *fiulsos* (un mot de notre invention) et à notre intense ravissement un vieux mercier nous répondit qu'il n'en avait pas en ce moment mais comptait en recevoir bientôt. C'est dans cet état d'esprit propice qu'un beau jour nous découvrîmes Cortázar.

L'un d'entre nous avait trouvé, dans la librairie en face du collège, un petit volume intitulé *Bestiario*. Il était carré, de la taille d'une poche de chemise, et sa couverture était ornée de la photographie en noir et blanc solarisée d'une femme ou d'un chat. Nous lûmes les nouvelles chacun à notre tour : une maison habitée par un couple âgé, frère et sœur, est peu à peu occupée par des envahisseurs sans nom ; deux jeunes gens en autobus découvrent une conspiration de passagers porteurs de bouquets de fleurs ; un tigre vivant erre dans une maison pourtant très ordinaire de Buenos Aires. Ce que ces histoires signifiaient, pourquoi elles avaient été écrites, dans quelles intentions allégoriques ou satiriques, nous l'ignorions et cela nous était égal ; leur humour correspondait exactement à notre humeur : absurde, irrévérente, nostalgique d'une chose qui ne s'était pas encore produite.

> Je montais en ascenseur et juste entre le premier et le deuxième étage je sentis que j'allais vomir un petit lapin. Je ne vous ai encore jamais décrit ceci, moins, à mon avis, par manque de sincérité que parce que, bien naturellement, on ne va pas se mettre à expliquer à tout le monde que de temps en temps on vomit un petit lapin.

Nous devînmes des adeptes de Cortázar. Nous lûmes les nouvelles de *Fin d'un jeu*, des *Armes secrètes*, de *Tous les feux, le feu*. Nous comprenions tout à fait ce qu'il voulait dire lorsqu'il parlait des dangers qu'il y a à escorter à travers la ville une créature innommable, à assister à une pièce de théâtre et à se trouver soudain sur la scène, à se voir transporté d'une innocente table d'opération à l'autel sacrificiel d'un ancien prêtre aztèque. Ces cauchemars nous paraissaient intelligibles ; nous ne savions pas qu'ils décrivaient aussi quelque chose comme l'âme de l'époque.

Cortázar est né à Bruxelles en 1914 de parents argentins, et a été élevé et éduqué à Buenos Aires. A un peu plus de vingt ans, alors qu'il travaillait en province comme professeur, il commença à écrire ses premières nouvelles. *Maison occupée*, l'un des chefs-d'œuvre de la littérature fantastique, fut publiée en 1948 par un Jorge Luis Borges admiratif dans une petite revue municipale. En 1951, pendant la dictature de Perón – mais pas explicitement pour des raisons politiques –, il partit pour Paris où il demeura pendant le restant de sa vie, en préservant dans ses récits (privilège d'exilé) une Buenos Aires qui n'existait plus.

Voilà pour la biographie.

Quand je l'ai rencontré, il était déjà un écrivain célèbre, ce conteur enjoué qui combinait une logique à la Lewis Carroll et un humour surréaliste. Mais il était aussi ce que les Français appellent un auteur engagé, l'un des "compagnons de voyage" sympathisant avec la cause révolutionnaire. Chez certains écrivains, ces deux caractères ne faisaient qu'un. Tel n'était pas le cas de Cortázar.

En 1968, juste après la révolution de mai, au cours de laquelle les étudiants français avaient pris la ville, j'arrivai à Paris et, fort d'une introduction du poète Alejandra Pizarnik, j'allai le voir. L'homme qui me reçut était un géant au visage de bébé (il mesurait près de deux mètres), d'une extrême affabilité et doué d'un humour caustique. Cortázar s'offrit à me guider dans la ville. Il me montra la cour dans laquelle Pierre Curie a été renversé par une carriole et où Marie Curie a ramassé les fragments éparpillés de son précieux cerveau ; il m'emmena place Dauphine, cette ouverture triangulaire au bout de l'île de la Cité, qu'Aragon appelait "le sexe de Paris" ; il me montra du doigt, en face du *Café Bonaparte*, le buste d'Apollinaire par Picasso ; il me suggéra de le photographier devant son graffiti préféré parmi ceux de mai 68 : "L'imagination au pouvoir !"

Cinq ans avant notre rencontre, en 1963, il avait publié *Marelle*, le roman grâce auquel, avait déclaré Mario Vargas Llosa, les écrivains latino-américains avaient appris "que la littérature est une façon inspirée de s'amuser, qu'il est possible d'explorer les secrets du monde et du langage tout en s'offrant du bon temps et que, même en jouant, on peut explorer les mystérieux niveaux de la vie cachés à notre cerveau rationnel, à notre intelligence logique, les abîmes de l'expérience dans lesquels nul ne peut plonger le regard sans risques sérieux, tels que la folie ou la mort". Ainsi que le savent aujourd'hui la plupart des lecteurs (même ceux qui n'ont pas lu le roman), *Marelle* nous autorise explicitement à découvrir l'histoire en lisant les chapitres dans l'ordre qui nous plaît ; Cortázar suggère un ordre (qui n'est pas celui du livre) comme pour impliquer que, dès lors qu'il a ignoré une seule fois la hiérarchie des chapitres imposée par le romancier, le lecteur rend possibles toutes les autres combinaisons. Il y a eu un précurseur au jeu de Cortázar, le *Musée du roman de l'éternelle*, du mentor de Borges, Macedonio Fernández, qui offre au lecteur plusieurs avant-propos et premiers chapitres, et pas de fin. "Mes lecteurs, avait déclaré Fernández, sont des lecteurs des commencements – c'est-à-dire des lecteurs parfaits." Il existe sans doute un autre texte précurseur, un récit de Borges : *Examen de l'œuvre d'Herbert Quain*, dans lequel le lecteur est invité à suivre non pas une succession aléatoire de chapitres, mais une série de romans dont chacun choisit une possibilité différente issue d'un même scénario. Dans l'un et l'autre cas, ce qui compte, c'est l'illusion de liberté intellectuelle donnée au lecteur (déjà proposée par Laurence Sterne, leur maître à tous, dans *Tristram Shandy*). Les jeux informatiques d'hypertexte continuent et augmentent cette illusion.

Mais tout en se livrant à ces jeux littéraires, Cortázar tentait aussi de réagir aux luttes politiques qui se livraient en Amérique du Sud. La révolution cubaine était apparue comme une promesse à la plupart des artistes et des intellectuels, et – en dépit des mises en garde de Cubains exilés à Paris – Cortázar soutenait Castro. A lui qui s'était éloigné volontairement du pays qu'il continuait à appeler le sien, une réaction artistique ne paraissait pas suffisante. Il fallait une réaction politique, une *prise de position*, un témoignage d'allégeance. Au lieu des contes fantastiques pour lesquels il était devenu célèbre, il s'essaya à une forme d'écriture plus réaliste, voire documentaire

– et il échoua. Ces récits accusateurs et son roman intitulé le *Livre de Manuel* sombrent malgré (ou à cause de) ses bonnes intentions. Cortázar était bien conscient des dangers d'une littérature issue d'un sentiment du devoir. En 1962, s'adressant à un public cubain à La Havane, il dit qu'il croyait avec ferveur à l'avenir de la littérature cubaine.

> Mais cette littérature n'aura pas été écrite par obligation, en fonction des slogans du jour. Ses thèmes ne naîtront que quand leur moment sera venu, quand l'auteur sentira la nécessité d'en faire des récits ou des romans, des poèmes ou des pièces de théâtre. Ses thèmes seront alors porteurs d'un message profond et sonnant vrai, car ils n'auront pas été choisis pour des raisons didactiques ou de prosélytisme ; ils auront été choisis parce qu'une force irrésistible aura emporté l'auteur qui, faisant appel à toutes les ressources de son art et de son talent, sans rien sacrifier à personne, transmettra cette force au lecteur, de la façon dont est transmis tout ce qui est essentiel : du sang au sang, de la main à la main, d'être humain à être humain.

Et puis, tout à coup, à la fin des années soixante-dix, toujours fidèle à ses convictions politiques mais ayant perdu ses illusions quant à la possibilité de les exprimer en termes littéraires "sans rien sacrifier à personne", Cortázar revint à son écriture fantastique dans son dernier livre, *Heures indues*. Comme par magie, il s'avère non seulement que plusieurs de ces nouvelles – "Satarsa", "L'école, la nuit", et surtout le magistral "Cauchemar" – sont de brillants exemples du meilleur Cortázar fantastique, mais aussi qu'elles font partie des plus forts des récits politiques écrits en espagnol durant ces années – des années particulièrement marquées par la littérature d'indignation suscitée par les dictatures militaires dans toute l'Amérique latine. Dans "Satarsa", un groupe de guérilleros a cherché refuge contre les militaires dans un village pauvre et isolé, et leur chef trouve dans les jeux de mots auxquels il se complaît la révélation qui lui permettra, avant de mourir, de comprendre le mal qu'il a combattu. "L'école, la nuit" suit la vénérable tradition de la descente du héros aux Enfers où, pour son édification, il lui est donné de voir parmi les horreurs les temps affreux à venir. "Cauchemar", sans doute la dernière nouvelle écrite par Cortázar, fait en bien des sens écho à *Maison occupée*, à la différence que la présence envahissante se trouve ici dans l'esprit d'une femme plongée dans le coma, alors que les témoins extérieurs – sa famille – ne peuvent qu'assister des coulisses à l'invasion. L'instant de compréhension se superpose à celui de la destruction finale, quand la vision de la femme inconsciente coïncide avec un assaut lancé par le monde réel. Tout lecteur au courant du rapport sur les "disparus" d'Argentine – publié sous le titre *Nunca más* ("Jamais plus") – comprendra exactement la superposition des deux fins atroces.

Que retiendra-t-on de Cortázar ? Je me risque à suggérer que, tel l'un de ses personnages, il subira une métamorphose. La réalité ordinaire qui s'était attachée à lui comme une seconde peau – les combats politiques, les histoires de cœur compliquées, le monde douteux du business littéraire avec sa passion pour la nouveauté et les commérages – s'évanouira peu à peu et ce qui restera, c'est le conteur étincelant d'histoires étranges, de récits qui réussissent à maintenir un équilibre délicat entre l'indicible et ce

qui doit être dit, entre les horreurs quotidiennes
dont nous semblons capables et les événements
merveilleux qui nous sont accordés chaque nuit
dans les resserres labyrinthiques de l'esprit.

# IV
## LIRE AU LIT

Le cavalier parut surpris de la question :
"Qu'importe la position dans laquelle se trouve
transitoirement mon corps ? répondit-il.
Quelle qu'elle soit,
mon esprit fonctionne sans défaillance.
En fait, plus je me tiens la tête en bas,
plus j'invente de choses nouvelles."

*De l'autre côté du miroir,* chapitre VIII

# LES PORTES DU PARADIS

*"Fort bien, nous allons à présent nous amuser !" pensa Alice.*

Alice au pays des merveilles,
chapitre VII.

L'UNE DES PREMIÈRES VERSIONS de *La Belle et la Bête*, racontée en latin par Apulée dans le courant du XIIᵉ siècle, est l'histoire d'une princesse condamnée par un oracle à devenir l'épouse d'un dragon. Craignant pour sa vie, vêtue de deuil, abandonnée par sa famille, elle attendit au sommet d'une montagne l'arrivée de son époux ailé. Le monstre ne parut point. Une brise souleva la princesse et la déposa dans une vallée paisible, où se dressait une maison d'or et d'argent. Des voix désincarnées lui souhaitèrent la bienvenue, lui offrirent nourriture et boissons et chantèrent pour elle. Quand la nuit tomba, aucune lampe ne fut allumée et dans l'obscurité elle sentit quelqu'un à côté d'elle. "Je suis ton amant et ton époux", dit une voix et, mystérieusement, elle cessa d'avoir peur. La princesse vécut bien des jours auprès de son époux invisible.

Un soir, les voix l'avertirent que ses sœurs, qui étaient parties à sa recherche, approchaient de la maison, et elle eut grand désir de les revoir et de leur raconter toutes les merveilles

qui lui étaient arrivées. Les voix lui déconseillè-
rent d'y aller, mais son désir était trop fort. En
criant leurs noms, elle courut à leur rencontre.
Les sœurs semblèrent d'abord pleines de joie,
mais en entendant son histoire elles se mirent à
pleurer et la traitèrent de sotte pour s'être laissé
tromper par un mari qui exigeait la protection
de l'obscurité. "Il doit avoir quelque chose de
monstrueux s'il ne veut pas se montrer à toi
dans la lumière", disaient-elles, et elles s'api-
toyaient sur elle.

Cette nuit-là, prête à quelque révélation hi-
deuse, la princesse alluma une lampe à huile et
se glissa vers l'endroit où son époux dormait.
Ce qu'elle vit n'était pas un dragon, mais un
jeune homme d'une beauté extraordinaire qui
respirait doucement sur l'oreiller. Ravie, elle allait
éteindre la lampe quand une goutte d'huile
brûlante tomba sur l'épaule gauche du dormeur.
Il s'éveilla, vit la lumière et, sans un mot, prit la
fuite.

Eros disparaît quand Psyché tente de l'apercevoir.

Quand, dans l'adolescence, je lus l'histoire
d'Eros et Psyché, chez nous, à Buenos Aires,
par un chaud après-midi, je ne crus pas à sa
morale. J'étais convaincu que dans la bibliothèque quasi inutilisée de mon père, où j'avais
trouvé tant de plaisirs secrets, je découvrirais,
par une chance magique, la chose stupéfiante
et inexprimée qui se faufilait dans mes rêves et
faisait l'objet des plaisanteries de cour d'école.
Je ne fus pas déçu. J'aperçus Eros dans l'eau de
rose d'*Ambre*, dans une traduction usée de *Peyton
Place*, dans certains poèmes de García Lorca,

dans le passage en wagon-lit du *Conformiste*, de Moravia, que je lus à treize ans en trébuchant, dans *Les Amitiés particulières*, de Roger Peyrefitte.

Et Eros ne disparut pas.

Lorsque, quelques années plus tard, je pus comparer mes lectures à la sensation réelle de ma main caressant le corps de mon amant, je dus reconnaître que, pour une fois, la littérature n'était pas à la hauteur. Et pourtant l'émotion provoquée par ces pages interdites demeurait. Les adjectifs haletants, les verbes audacieux ne m'étaient sans doute pas utiles pour décrire mes propres émotions confuses, mais ils m'avaient communiqué, dans l'instant, quelque chose de courageux, d'étonnant et d'unique.

Ce caractère unique, je devais le découvrir, marque toutes nos expériences essentielles. "Nous vivons ensemble, nous agissons et réagissons l'un à l'autre, écrit Aldous Huxley dans *Les Portes de la perception*, mais en tous temps et en tous lieux nous sommes seuls. Les martyrs entrent dans l'arène la main dans la main ; c'est seuls qu'ils sont crucifiés. Dans l'étreinte, les amants s'efforcent désespérément de fondre leurs extases isolées en une transcendance unique ; en vain. De par sa nature même, tout esprit incarné est condamné à souffrir et à jouir dans la solitude." Même à l'instant de la plus grande intimité, l'acte érotique est un acte solitaire.

De tous temps, les écrivains ont tenté de faire de cette solitude une chose partagée. Au moyen de pesantes hiérarchies (essais sur l'étiquette des genres, textes de cours d'amour médiévales), de la mécanique (manuels et guides amoureux, études anthropologiques), d'exemples (fables, récits d'une espèce ou d'une autre), chaque culture a cherché à comprendre l'expérience érotique avec l'espoir que, peut-être, si les mots la décrivent fidèlement, un lecteur pourra la revivre voire l'apprendre, de même que nous attendons d'un certain objet qu'il sauvegarde un souvenir ou d'un monument qu'il ramène un mort à la vie.

On imagine avec émerveillement la classe qu'aurait une bibliothèque universelle consacrée à cette littérature qui se veut érotique. On y trouverait, je suppose, les dialogues platoniciens de la Grèce antique dans lesquels Socrate discute des types et des mérites de l'amour ; *L'Art d'aimer* d'Ovide, composé dans cette Rome impériale où Eros est considéré comme une fonction sociale, à l'instar du savoir-vivre à table ; le Cantique des cantiques, où les amours du roi Salomon et de la noire reine de Saba deviennent un reflet du monde qui les entoure ; le *Kâma Sûtra* et le *Kalyana Malla* des hindous, où le plaisir est envisagé comme un élément de l'éthique ; le *Libro del Buen Amor*, de l'archiprêtre de Hita en Espagne au XIVe siècle, qui prétend tenir sa sagesse de sources populaires ; *Le Jardin parfumé*, de Sheik al-Nefzawi, au XVe siècle, qui codifie l'acte érotique en fonction de la loi islamique ; le *Minnereden* allemand, discours érotique moyenâgeux dans lequel l'amour, comme la politique, a sa rhétorique propre ; et des allégories poétiques telles que le *Roman de la Rose* en France et *The Faerie Queene* (d'Edmund Spencer) en Angleterre, où le mot abstrait "amour" acquiert de nouveau, ainsi qu'Eros, un visage humain ou divin.

Il y aurait, dans cette bibliothèque idéale, d'autres œuvres plus étranges encore : les dix volumes de *Clélie* (1654-1660), de Mlle de Scudéry, avec sa *Carte de Tendre* représentant le parcours érotique avec ses récompenses et ses périls ; les écrits du marquis de Sade qui, en de fastidieux catalogues, a recensé les variations sexuelles auxquelles un groupe humain peut être soumis ; les ouvrages de théorie de son quasi-contemporain Charles Fourier, qui a imaginé des sociétés utopiques entières centrées autour de l'activité sexuelle de leurs citoyens ; les journaux intimes de Giacomo Casanova, d'Ihara Saikaku, de Benvenuto Cellini, de l'abbé de Choisy, d'Anaïs Nin, de Henry Miller et de John Rechy, qui tous ont tenté de saisir Eros dans des Mémoires autobiographiques.

Pelotonné au creux d'un fauteuil dans la bibliothèque paternelle et, plus tard, au creux d'autres fauteuils dans plus de maisons que je ne souhaite me le rappeler, je me suis aperçu qu'Eros apparaissait régulièrement en toutes sortes de lieux inattendus. Malgré la nature singulière des expériences évoquées ou décrites dans l'intimité des pages, ces histoires me touchaient, m'excitaient, me chuchotaient des secrets.

Si nous ne pouvons pas partager nos expériences, nous avons en commun des symboles. Transportée dans un autre domaine, détournée de son sujet, il arrive que l'écriture érotique parvienne à quelque chose de cet acte essentiellement privé, lorsque les pâmoisons et les souffrances du désir érotique deviennent le vaste lexique métaphorique de la rencontre mystique. Je me souviens de la passion avec laquelle j'ai lu pour la première fois la description par saint Jean de la Croix de l'union érotique :

> *O nuit qui m'avez guidée !*
> *O nuit plus aimable que l'aurore !*
> *O nuit qui avez uni*

> *L'Aimé avec sa Bien-Aimée*
> *Qui a été transformée en lui !*
> *[...]*
>
> *Je restai là et m'oubliai*
> *Le visage penché sur le Bien-Aimé.*
> *Tout cessa pour moi et*
> *Je m'abandonnai à lui*
> *Je lui confiai tous mes soucis*
> *Et m'oubliai au milieu des lis*\**.

Et puis John Donne, pour qui l'acte érotique/mystique est aussi un acte d'exploration géographique :

> *Tolère mes mains vagabondes et laisse-les aller,*
> *Devant, derrière, entre, dessus, dessous.*
> *O mon Amérique ! ma terre-neuve.*

A l'époque de Shakespeare, l'usage érotique du vocabulaire géographique était devenu assez répandu pour qu'on le parodie. Dans *La Comédie des erreurs*, l'esclave Dromio de Syracuse décrit à son maître les charmes douteux de la fille qui le poursuit de ses assiduités – "elle est sphérique, comme un globe ; j'ai découvert sur elle des pays" –, et de découvrir l'Irlande sur ses fesses, l'Ecosse dans la paume nue de sa main, l'Amérique sur son nez, "le tout orné de rubis, d'escarboucles et de saphirs étalant leur riche apparence sous le souffle chaud de l'Espagne".

William Cartwright, le nébuleux auteur, au XVIIe siècle, de *The Royal Slave* (pièce dont Charles Ier et Ben Jonson chantèrent tous deux les louanges), mériterait qu'on se souvienne mieux de lui pour les vers ci-dessous,

---

\* In *Œuvres spirituelles*, trad. du R. P. Grégoire de Saint-Joseph, Le Seuil, 1947.

qui renvoient l'amour spirituel à sa source authentique :

> *Je fus cette chose sotte qui un jour fut amenée*
> *A pratiquer ce mince Amour ;*
> *Je montai du Sexe à l'Ame, de l'Ame à la Pensée ;*
> *Mais là, voulant bouger,*
> *Je roulai tête la première de la Pensée à l'Ame,*
> *    et puis*
> *De l'Ame me retrouvai au Sexe.*

Parfois, au hasard de mes lectures, je me suis aperçu qu'une seule image pouvait assurer la réussite d'un poème. Voici des vers composés par une poétesse sumérienne vers 1700 avant notre ère :

> *Je vais à mon jeune époux –*
> *Je deviendrai la pomme*
> *attachée à la branche*
> *entourant la tige*
> *de ma tendre chair.*

Il arrive que l'absence de toute description suffise à exprimer le pouvoir érotique de ce qui a été perdu. C'est ainsi qu'un poète anonyme a écrit à la fin du Moyen Age ce quatrain très célèbre :

> *Vent d'ouest, quand souffleras-tu,*
> *Que la pluie légère puisse pleuvoir ?*
> *Ah, Dieu ! que mon amour soit entre mes bras,*
> *Et moi le soir dans mon lit.*

La fiction, c'est une autre affaire.

De tous les genres littéraires érotiques, c'est la fiction, à mon avis, qui rencontre le plus de difficultés. Raconter une histoire érotique, une histoire dont le sujet est en dehors des mots et en dehors du temps, cela semble une tâche non seulement vaine mais encore impossible. On peut soutenir que n'importe quel sujet, dans sa complexité ou sa simplicité, rend impossible la

tâche de le raconter ; qu'une chaise ou un
nuage ou un souvenir d'enfance sont tout aussi
ineffables, tout aussi indescriptibles qu'un acte
d'amour, un rêve, une musique.

Il n'en est rien.

Nous disposons, dans la plupart des langues,
d'un vocabulaire riche et varié qui, aux mains
d'un maître d'œuvre expérimenté, exprime pas-
sablement les actions et les éléments avec lesquels la société se sent à l'aise, le bric-à-brac
quotidien de ses animaux politiques. Mais ce
dont la société a peur ou ce qu'elle comprend
mal, ce qui m'obligeait à surveiller du coin de
l'œil la porte de la bibliothèque de mon père,
ce qui devient interdit, voire innommable en
public, il n'existe pas de mots pour en bien
parler. "Un rêve qui ressemble au véritable
déroulement d'un rêve, avec toutes ses inconsé-
quences, ses excentricités et son inanité, déplorait
Nathaniel Hawthorne dans ses *Carnets améri-
cains*, jusqu'à cet âge avancé du monde, on n'a
rien écrit de tel." Il aurait pu en dire autant de
l'acte érotique.

La langue anglaise en particulier rend les
choses difficiles parce qu'elle ne possède tout
simplement pas de vocabulaire érotique. Les
organes sexuels, les gestes sexuels empruntent
les mots qui les définissent soit à la biologie
soit au lexique de la vitupération. Cliniques ou
grossiers, les mots pour décrire les splendeurs
de la beauté physique et l'exultation du plaisir
condamnent, aseptisent ou bafouent ce qui devrait
être célébré dans l'émerveillement. L'espagnol,
l'allemand, l'italien et le portugais souffrent du
même manque. Le français est, sans doute, un
peu plus heureux. "Baiser" pour *copulate* ; "verge"
pour *penis* ; et "petite mort" pour l'instant d'extase

qui suit l'orgasme, expression dans laquelle la tendresse du diminutif débarrasse la mort de son éternité pour n'en conserver que la bienheureuse impression de quitter ce monde – ces termes n'ont pas grand-chose du caractère de complicité lascive de *fuck, prick* et *come*. Le vagin (ô surprise) est traité en français avec aussi peu de respect qu'en anglais, et "con" ne vaut guère mieux que *cunt*. Pour écrire une histoire érotique en anglais, ou pour en traduire une en anglais, l'écrivain doit trouver de nouveaux et astucieux modes d'utilisation de son moyen d'expression afin d'entraîner le lecteur, à contresens ou grâce à une imagination langagière tout à fait unique, dans une expérience dont la société a décrété qu'elle demeurerait non dite. Le sage Montaigne parlait déjà du silence dont nous avons entouré le sexe.

Mais pourquoi avons-nous décidé que Psyché ne peut pas apercevoir Eros ?

Dans le monde judéo-chrétien, la mise au ban d'Eros trouve en saint Augustin sa voix canonique, une voix dont l'écho a résonné dans tout le Moyen Age et résonne encore, déformée, dans les commissions de censure de notre temps. Après avoir dissipé sa jeunesse entre les femmes et la débauche (pour parler comme un prêcheur), Augustin s'interrogea sur sa quête des plaisirs et conclut que l'on ne peut atteindre au bonheur suprême, *eudaemonia*, que si l'on subordonne le corps à l'esprit et l'esprit à Dieu. L'amour physique, *eros*, est infâme, et seul l'*amor*, amour spirituel, peut conduire à jouir de Dieu, à l'*agape*, la fête de l'amour proprement dit qui transcende à la fois le corps et l'esprit humains. Deux siècles après Augustin, saint Maxime de Constantinople exprima cela en ces termes : "L'amour est cette bonne disposition de l'âme qui ne préfère rien de ce qui existe à la connaissance de Dieu. Mais nul homme ne peut atteindre à un tel degré d'amour s'il reste attaché à quelque objet de ce monde. L'amour, conclut saint Maxime, naît de l'absence de passion érotique." Voilà un cri bien éloigné des contemporains de Platon qui voyaient en Eros la force (au sens bien réel et physique) qui assemble et unifie l'univers.

La condamnation de la passion érotique, celle de la chair, permet à la plupart des sociétés patriarcales de désigner la Femme comme la tentatrice, notre mère Eve, cause de la quotidienne chute d'Adam. Parce qu'elle est coupable, l'homme a sur elle un droit naturel de domination et toute dérogation à cette loi – par une femme ou par un homme – est punissable comme une traîtrise et un péché. Tout un appareil de censure a été édifié pour protéger les stéréotypes hétérosexuels définis par les mâles et il en résulte que la misogynie et l'homophobie sont à la fois justifiés et encouragés par l'attribution aux homosexuels et aux femmes de rôles réduits et dépréciés. (Aux enfants également : nous coupons de la vie sociale la sexualité des enfants, tout en autorisant son apparition sous des dehors apparemment inoffensifs sur les écrans et dans les pages mode des magazines – ainsi que l'a fait remarquer Graham Greene dans sa critique des films de Shirley Temple.)

La pornographie a besoin de jouer sur cette double norme. Dans la pornographie, ce qui est érotique ne peut pas constituer une partie intégrale d'un univers dans lequel hommes et femmes, homosexuels et hétérosexuels sont en quête d'une meilleure compréhension d'eux-mêmes

et des autres. Pour être pornographique, l'érotique doit être amputé de son contexte et adhé-
rer aux strictes définitions cliniques de ce qui
est interdit. La pornographie doit respecter fidèlement la normalité officielle afin d'y contrevenir
dans le seul but de provoquer une excitation
immédiate. La pornographie ne peut exister en
dehors de cette loi. L'adjectif "licencieux", au sens
de "sexuellement immoral", vient de "licence",
permission accordée (de s'écarter des règles).
C'est pourquoi notre société permet à la pornographie, qui embrasse les notions officielles de
"normal" ou de "convenable", d'exister dans des
contextes spécifiques, tout en persécutant avec
zèle les expressions artistiques érotiques où
l'autorité des puissants est implicitement mise
en question. On pouvait acheter des publications grivoises dans un joli sac en papier brun
au moment même où l'*Ulysse* de Joyce, accusé
d'obscénité, passait en jugement ; on projette
des films pornos *hard-core* dans des cinémas
situés à quelques pas de ceux où *La Dernière
Tentation du Christ* ou *How to Make Love to a
Negro* sont cernés par des piquets de grève.

La littérature érotique est subversive ; pas la
pornographie. Car la pornographie est réaction-
naire, opposée au changement. "Aussi dans un
roman pornographique, dit Nabokov dans sa
postface à *Lolita*, l'action doit être limitée à une
copulation de poncifs. Style, construction, imagerie, rien ne doit distraire le lecteur de sa fade
concupiscence*." La pornographie applique les
conventions de toute littérature dogmatique
– tracts religieux, rhétorique politique, publicité. Pour fonctionner, la littérature érotique

* Trad. Eric H. Kahane, Gallimard, 1959.

doit établir des conventions nouvelles, prêter un sens nouveau aux mots de la société qui la condamne et communiquer à ses lecteurs un savoir qui, de par sa nature même, doit demeurer intime. Cette exploration du monde à partir d'un lieu central et totalement privé confère à la littérature érotique son formidable pouvoir.

Pour le mystique, l'univers entier est un objet érotique, et le corps entier le sujet du plaisir érotique. On peut dire la même chose de tout être humain qui s'aperçoit que le pénis et le clitoris ne sont pas les seuls lieux de plaisir, mais aussi les mains, l'anus, la bouche, les cheveux, les plantes des pieds, chaque pouce de nos corps étonnants. Ce qui éveille les sens physiquement et mentalement et nous ouvre ce que William Blake appelait les Portes du Paradis, c'est toujours mystérieux et, comme nous finissons tous par le découvrir, cela dépend toujours dans sa forme de lois dont nous ne savons rien. Nous reconnaissons que nous aimons une femme, un homme, un enfant. Pourquoi pas une gazelle, une pierre, une chaussure, le ciel nocturne ?

Dans *Femmes amoureuses*, de D. H. Lawrence, l'objet du désir de Rupert Birkin est la végétation :

> S'étendre et se rouler dans la fraîcheur gluante des jeunes jacinthes, se coucher à plat ventre et se couvrir le dos de poignées de fine herbe humide, douce comme un souffle, douce et plus délicate et plus belle que la caresse de n'importe quelle femme ; et puis se piquer la hanche aux aiguilles sombres et vivantes des sapins ; et puis sentir sur ses épaules le fouet léger de la bruyère, piquante elle aussi, et puis serrer contre son cœur le tronc argenté d'un bouleau, sa douceur, sa dureté, ses nœuds et ses rides

vitaux – c'était bon, c'était très bon, tout cela, très satisfaisant.

Dans *Le Mari de la guenon*, de John Collier, Eros est un chimpanzé nommé Emilie dont un instituteur anglais, Mr Fatigay, tombe éperdument amoureux.

> "Emilie ! dit-il encore. Mon ange ! La mienne ! Mon amour."
> A cette dernière parole, Emilie leva les yeux vers lui et lui tendit la main.
> Sous ses cheveux longs et fins, il apercevait un peu la peau bleue comme une prune. Dans les profondeurs de ses yeux sombres et brillants, son esprit glissa sans un bruit, sans un effort, elle prononça quelques paroles basses, rapides, dans sa langue natale. La bougie qui fondait lentement à côté du lit fut saisie tout à coup par un pied préhensile et l'obscurité reçut, comme un remous dans le velours, un dernier soupir de bonheur*.

Dans le récit de Cynthia Ozick, *Le Rabbi païen*, Eros est un arbre :

> Mes doigts s'activèrent dans les interstices des signes cunéiformes couvrant l'écorce. Puis, mon front à plat contre l'arbre, je l'étreignis des deux bras pour le mesurer. Mes mains se rejoignirent. La plante était jeune et mince. J'ignorais à quelle famille elle appartenait. J'attrapai la branche la plus basse, arrachai une feuille dont ma langue méditative parcourut la périsphère : un chêne. Le goût était poisseux et d'une exaltante amertume. Une jubilation légère vint tapisser mon bas-ventre. Alors je posai une main (l'autre enlaçant pour ainsi dire la taille de l'arbre) dans la bifurcation (ignoblement appelée

---

* Trad. Odette Michelli, Julliard, 1991.

l'aine) du membre inférieur et du torse élégant et d'une pieuse fermeté et je caressai ce miraculeux carrefour avec une certaine langueur qui peu à peu se transforma en vigueur*.

Voici Marian Engel décrivant la rencontre amoureuse d'une femme et d'une bête dans *L'Ours* :

> Il lécha. Il palpa. Ç'aurait pu être une puce qu'il était en train de chercher. Il lui lécha les bouts de seins qui se raidirent et lui fouilla le nombril. Avec de petits gémissements, elle le guida vers le sud.
>
> Elle balança les hanches et lui facilita la chose.
>
> "Ours, ours", chuchotait-elle, en jouant avec ses oreilles. La langue qui était musclée mais aussi capable de s'allonger comme une anguille trouva tous ses endroits secrets. Et, comme aucun être humain qu'elle eût jamais connu, persévéra pour son plaisir. Quand elle jouit, elle geignit, et l'ours lécha ses larmes.

Et l'écrivain anglais J. R. Ackerley décrit en ces termes son amour pour sa chienne, Tulip :

> Je me couche tôt pour en finir avec la morne journée, mais dans l'instant elle est près de moi, assise toute droite contre mon oreiller, la tête tournée, elle se balance d'un pied sur l'autre, me lèche, halète, se balance, scrute mon visage, me tire par le bras. Gentille créature, qu'est-ce que je te fais là ? Je tends la main dans la pénombre et caresse les petits tétons... Haletante, pendant que ma main la caresse, elle se fait molle, les oreilles aplaties, la tête tombante, le regard vide perdu dans la nuit devant les fenêtres. Peu à peu, elle se

---

* Trad. Claudia Ancelot, Rivages, 1988.

détend, s'affaisse. Peu à peu, ma main sur elle, elle s'endort...

Même la tête coupée de l'être aimé peut devenir un objet érotique, comme lorsque Stendhal, dans *Le Rouge et le Noir*, fait récupérer par Mathilde la dépouille de Julien :

> Il entendit Mathilde marcher avec précipitation dans la chambre. Elle allumait plusieurs bougies. Lorsque Fouqué eut la force de la regarder, elle avait placé sur une petite table de marbre, devant elle, la tête de Julien, et la baisait au front...

Confrontée à la tâche de faire de l'art à partir d'une incroyable diversité d'objets et de sujets, d'actions et de variations, de sentiments et de craintes ; limitée par un vocabulaire conçu spécifiquement pour un autre usage ; en équilibre sur le fil périlleux qui sépare la pornographie du sentimentalisme, la biologie de l'obscénité, le trop discret du trop explicite ; menacée par des sociétés bien décidées à préserver l'aristocratie du pouvoir établi grâce aux censures exercées par les politiques, l'éducation et la religion, c'est comme par miracle que la littérature érotique a non seulement survécu aussi longtemps, mais encore est devenue plus audacieuse, plus brillante, plus sûre d'elle, dans sa poursuite d'une multicolore infinité d'objets de désir.

*Post-scriptum* : Je crois que, comme l'acte érotique, le fait de lire devrait être fondamentalement anonyme. Nous devrions pouvoir entrer dans un livre ou dans un lit de la même façon qu'Alice traverse la forêt du miroir, sans emporter avec nous les préjugés de notre passé et en abandonnant pour cet instant de communion nos harnachements sociaux. Que nous lisions ou que nous fassions l'amour, nous devrions être capables de nous perdre dans l'autre, en qui – j'emprunte à saint Jean cette image – nous sommes transformés : de lecteur en auteur en lecteur, d'amant en amant en amant. "Jouir de la lecture", disent les Français, qui ont le même mot pour signifier atteindre l'orgasme et prendre plaisir.

# DANS L'ANTRE DU CHIFFONNIER

> *Que Dieu vous garde du feu, du couteau, de la littérature contemporaine et de la rancune des mauvais morts.*
>
> LÉON BLOY,
> *La Femme pauvre.*

UN SAMEDI APRÈS-MIDI, il y a quelque temps, une amie vint me voir et me dit que j'avais l'air affreusement malade. Je lui répondis que je me *sentais* affreusement malade. Si j'avais bonne mémoire, je ne m'étais senti aussi mal qu'une seule fois auparavant, après avoir vu un chien écrasé par une voiture. Mon amie me demanda ce qui m'était arrivé. Je lui dis que je terminais à l'instant la lecture du livre de Bret Easton Ellis, *American Psycho*.

Les circonstances qui ont entraîné la publication de ce livre sont bien connues, du moins aux Etats-Unis. Ellis avait publié deux romans, dont l'un en tout cas, *Moins que zéro*, était devenu un appréciable best-seller. L'éditeur américain Simon & Schuster acheta *American Psycho* contre une avance de trois cent mille dollars, le composa et, à la onzième heure (sans doute en raison des protestations de plusieurs des responsables éditoriaux de la maison), décida de ne pas le publier. L'ouvrage fut aussitôt repris par Sonny Mehta, du groupe d'édition Random House, et inclus dans la prestigieuse collection des "Vintage Contemporaries", collection qui peut revendiquer, entre autres, des auteurs de la stature de Don DeLillo et de Richard Ford. La National Organization of Women in America menaça de boycotter tous les livres de Random House – sauf ceux d'auteurs féministes. En manière de plaisanterie, le magazine *Spy* envoya des extraits d'*American Psycho* à des revues pornos telles que *Hustler* et *Penthouse*, qui toutes les refusèrent au motif que les scènes décrites étaient trop violentes. Les douanes canadiennes tentèrent de s'opposer à ce que le livre passe la frontière, sans succès, heureusement. Je suis prêt à manifester dans les rues pour le droit d'Ellis à avoir son livre sur le marché. Je suis également prêt à manifester dans les rues pour mon droit à moi de m'élever contre les prétentions littéraires de cet ouvrage.

*American Psycho* décrit le train-train quotidien d'un certain Patrick Bateman, homme d'affaires new-yorkais jeune, riche et psychotique. Au long de pages interminables, Bateman reste à discuter avec ses connaissances – il n'a pas d'amis – de marques commerciales – aliments, vêtements, gadgets, n'importe quels objets de consommation –, après quoi, sans même passer de Bateman à Mr Hyde, il s'adonne au meurtre. Bien qu'il assassine aussi des chiens, des vagabonds et des enfants, Bateman choisit le plus souvent pour victimes des femmes qu'il torture lentement avant de les démembrer et de les dévorer, dans des scènes qu'Ellis décrit avec force détails maladroits.

Bien entendu, *American Psycho* n'est pas un cas isolé. Des livres de ce genre, il en existe

– généralement sous le label graphique de *splatter punk* (dans la tradition des meurtres à la hache) ou *hard-core thrillers* (héritiers de Mickey Spillane), – mais ils sont la plupart du temps présentés au public sous des couvertures criardes qui ne cherchent guère à dissimuler le type de récit proposé.

La présentation d'*American Psycho* est une curieuse affaire. La couverture de la première édition est ornée d'une photographie provenant de *Vogue*, le visage d'un pseudo-Robert Redford. Les épigraphes sont des citations de Dostoïevski *(Les Carnets du sous-sol)*, sur la nécessité de représenter dans la fiction certains individus qui "existent dans notre société", de Miss Manners, grande prêtresse du savoir-vivre aux Etats-Unis, sur le contrôle de soi ("Si nous cédions à toutes nos impulsions, nous nous entretuerions") et du groupe rock Talking Heads (*"And as things fell apart / Nobody paid much attention"* : "Et tandis que tout se déglinguait, personne ne faisait très attention"). La première phrase du livre est la devise de Dante pour les portes de l'Enfer : "Vous qui entrez, laissez toute espérance." En fait, tout est présenté de manière à faire accroire au lecteur que l'histoire qu'il va lire est effectivement de nature littéraire : contemporaine et ironique (couverture et citation de Miss Manners), branchée (Talking Heads), sérieuse et philosohique (Dostoïevski et Dante).

Les cent vingt-huit pages qui suivent (la première scène de brutalité commence à la page 129) sont mortelles pour quiconque n'a pas l'habitude de lire les publicités de mode : "Il porte un complet en lin de Canali Milano, une chemise en coton d'Ike Behar, une cravate en soie de Bill Blass et des chaussures de cuir à lacets de chez Brooks Brothers. Je porte un costume de lin léger à pantalon à pinces, une chemise de coton, une cravate à pois en soie, le tout de chez Valentino Couture, et des chaussures de cuir perforé d'Allen-Edmonds." On pourrait être censé lire ces lignes comme une satire sociale ; une telle lecture est impossible, car la prose d'Ellis n'est rien de plus qu'une copie du modèle qu'elle prétend dénoncer. Ce n'est pas de l'écriture. C'est de l'enfilage de mots visant à constituer un catalogue.

Quand arrivent les scènes d'atrocités, Ellis utilise les noms de marques pour rappeler au lecteur qu'il n'a pas abandonné le "mode satirique". L'estomac d'une femme massacrée est comparé aux "lasagnes aux aubergines et fromage de chèvre de chez *Il Malibro*" ; les hurlements d'une femme torturée sont étouffés par un manteau en poil de chameau de chez Ralph Lauren ; les horreurs sont filmées à l'aide d'une "Handycam Sony de la taille de la main". Les femmes, cibles principales des délires de Bateman, sont traitées de façon très comparable aux marchandises dont les marques déposées constituent sa vie et son langage. Mais l'idée se perd dans les accumulations grotesques du récit et dans la prose maladroite et plate d'Ellis. Il m'est impossible de concevoir comment qui que ce soit pourrait qualifier de "spirituelle" une écriture pareille, et pourtant c'est ainsi qu'elle est décrite dans le catalogue de l'éditeur. "*American Psycho*, lit-on dans le prière d'insérer, est un roman explosif qui révèle brillamment la culture américaine d'aujourd'hui de façon spirituelle mais dangereusement alarmante." "Alarmante" ? Certes, mais cette caractéristique n'est pas due à l'écriture mais au choix qu'ont fait des éditeurs d'œuvres littéraires d'inscrire dans leur catalogue un échantillon de pornographie violente sous couvert de littérature. Tant il est vrai que, quelles que soient les nombreuses façons dont j'ai tenté de lire ce livre, la faiblesse de son style, l'indigence de son vocabulaire et le peu de talent de l'auteur tant dans la construction des dialogues que dans les descriptions découragent toute autre approche que celle d'un pornographe. Je veux dire par là qu'à moins que vous, lecteur, ne vous sentiez titillé par les scènes de violence de ce livre, la seule autre réaction à laquelle vous puissiez vous attendre est l'horreur : non pas quelque terreur intellectuelle qui vous obligerait à remettre l'univers en question, mais une horreur uniquement physique – une répulsion non pas des sens mais des tripes, de celles qu'on provoque en s'enfonçant un doigt dans la gorge. Ann Radcliffe, auteur d'un des premiers romans "gothiques", distinguait avec intelligence la terreur, qui dilate l'âme et excite dans tous nos sens une intense activité, de l'horreur, qui les contracte, les glace et, d'une certaine manière, les détruit. *American Psycho* est un roman d'horreur pornographique.

Bien sûr, les littératures de terreur et d'horreur sont aussi anciennes que notre imagination. En tant qu'espèce, nous ne désirons pas le contentement, nous reculons devant l'apaisement et le bouton de fleur nous intéresse moins que le ver. La mort et la souffrance à mort figurent au nombre de nos sujets de lecture favoris depuis les premiers balbutiements de la littérature. Comme si, confiants dans les pouvoirs magiques de l'univers, nous avions toujours attendu d'un auteur qu'il donnât vie sur la page à nos pires cauchemars, qu'il fût le géographe

de contrées inconnues, qu'il nous permît avec
rime et raison d'expérimenter par procuration
ce que nous pensions inconcevable. Des siècles
durant, l'écrivain a été, tel Virgile pour Dante,
un guide dans les recoins les plus vils de notre
imagination humaine.

Dans le monde occidental, ces explorations
ont eu lieu à des époques différentes sous
des formes diverses. Voyages dans le monde des
morts dans la littérature de la Grèce et de Rome,
illustrés de portraits effrayants des fantomatiques
habitants de l'Enfer ; hagiographies médiévales,
remplies de descriptions détaillées des tortures
subies par les saints martyrs ; tragédies de l'époque élisabéthaine dans lesquelles l'infanticide,
le cannibalisme et le viol sont monnaie courante ; roman "gothique" des XVIIIe et XIXe siècles,
avec son vampirisme et sa nécrophilie – l'horreur fait, sans aucun doute, partie de notre
tradition littéraire. Mais ce n'est qu'en 1773,
avec deux essais publiés à Londres par J. et
A. L. Aikin, que la terreur littéraire en tant que
telle a reçu une reconnaissance académique. Si,
avec *Du plaisir que procurent les objets de terreur* et *Enquête sur ces sortes de détresses qui
provoquent des sensations agréables,* ces auteurs
cherchaient à expliquer et à confirmer la prolifé-
ration des ruines, cadavres, ombres ténébreuses
et créatures ignobles qui avait envahi le roman
et la poésie de l'Europe romantique, ils prêtè-
rent en vérité une validité esthétique à tous leurs
illustres prédécesseurs. Et à peu près à la même
époque, un Allemand, Friedrich von Hardenberg,
mieux connu sous le nom de Novalis, fit une
découverte audacieuse au sujet du cruel attrait
de la terreur : "Il est surprenant, écrivit-il, que la
véritable source de la cruauté soit le désir."
Mais le désir de quoi ?

A cette question, un autre contemporain, Donatien Alphonse François, marquis de Sade, offre une réponse possible : le désir de refuser la civilisation, de devenir un "enfant de nature", d'adopter l'ordre naturel. La cruauté, d'après Sade, loin d'être un vice, est le premier sentiment façonné en nous par la nature ; le bébé brise son hochet, mord le sein de sa nourrice, étrangle son oiseau favori, bien avant d'avoir atteint l'âge de raison. Fils de la Révolution française, Sade avait remplacé le Dieu d'Abraham ("L'idée de Dieu est la seule erreur que je ne puisse pardonner à mes semblables") non par la déesse Raison mais par la Nature – autre divinité plus sauvage. Les passions humaines ne sont pour Sade que "les moyens employés par la Nature pour accomplir ses desseins". La Nature nous a lancés aveuglément dans une vertigineuse progression de la naissance à la mort, établissant un ordre dans lequel nous ne sommes que pièces d'une machine atroce qui finit par nous détruire ; les monstrueuses inventions sexuelles de Sade apparaissent dès lors comme des procédés mécaniques et dépourvus d'émotion, décrits avec méticulosité moins dans un but de titillation que d'enseignement clinique. Roland Barthes, dans un essai-controverse, nie que Sade soit érotique car "l'érotisme ne peut être défini que par un langage perpétuellement allusif", et suggère que, même dans la débauche, cette quête de l'ordre naturel explicite domine l'œuvre de Sade tout entière.

C'est le désir d'un ordre naturel qui entraîne les protagonistes de Sade à rechercher les terreurs de la cruauté. D'autres, comme Poe, Kafka, les surréalistes, ont recherché le désordre, désassemblé les choses avec l'espoir de révéler des mystères universels, tels des enfants disséquant un jouet mécanique. La cruauté – l'œil incisé au rasoir, par exemple, dans l'archétype du film surréaliste, *Un chien andalou* – naît d'un voluptueux désir d'anarchie.

De telles constructions, de tels contextes, de telles notions qui nous permettent de lire la description d'actes odieux en tant qu'illustration de théories esthétiques ou philosophiques, sont absents du livre d'Ellis. Chez Sade, chez Poe, chez des centaines d'autres auteurs, il y a des passages qui, lus isolément (l'équivalent de ce qu'à l'école nous appelions "les passages cochons"), peuvent être excitants ou révoltants, ou les deux, selon nos penchants, mais qui, comme parties d'un ensemble, acquièrent une signification différente. Quand Marsyas est écorché vif dans les *Métamorphoses*, quand la sorcière de Lucain, dans *La Pharsale*, mord la langue du cadavre qu'elle vient d'embrasser, quand Lady Macbeth menace d'arracher son sein aux tendres gencives de son bébé et de lui écraser la cervelle, quand le prisonnier de Kafka dans *La Colonie pénitentiaire*, est lentement torturé à mort par une aiguille qui grave sur son corps la nature inexprimée de son crime, quand Winston, dans *1984*, d'Orwell, est menacé par des rats qui s'attaquent à ses yeux et crie "Faites-le à Julia ! Pas à moi ! [...] Déchirez-lui le visage. Epluchez-la jusqu'aux os*...", quand le Dr Noyes viole sa belle-fille à l'aide de la corne d'une licorne dans *Not Wanted on the Voyage*, de Timothy Findley – même s'il est possible à un lecteur de trouver là de la pornographie en ignorant le contexte, ce contexte existe bel et

* Trad. Amélie Audiberti, Gallimard, 1972.

bien : il colore la violence, lui confère un sens, autorise la rédemption, favorise la compréhension. La violence, et l'aperçu qu'elle nous donne de l'Enfer, est le point de départ que Yeats avait peut-être en tête lorsqu'il écrivit dans *La Désertion des animaux du cirque*, son poème sur les sources d'inspiration :

> *Et je dois mourir là, au pied des échelles,*
> *Dans le bazar de défroques du cœur\*.*

Le "bazar de défroques" est une réalité, et nombre d'écrivains l'ont visité avec plus ou moins de talent. Beaucoup échouent, mais le manque de talent n'est pas un délit et les livres mal écrits seront toujours parmi nous pour mettre notre charité à l'épreuve. Pour ce qui est des éditeurs et de la publicité mensongère, la mise en vente d'un livre sous couvert d'un autre est à tout le moins un crime éthique, et c'est pour de telles circonstances que nous avons été chargés d'une conscience. C'est nous, les lecteurs, qui détenons la responsabilité finale. L'aspect le plus surprenant du langage, c'est sa versatilité : il peut être balbutiement, il peut être invective, il peut être prière, il peut être plaisanterie, il peut être fable. Il peut être révélation et nous exalter, ou il peut être pornographie et nous emmurer. Et il n'y a aucun mal à nous rappeler que, chaque fois que nous choisissons un livre à lire au lit, le soir, nous nous frayons aussi un chemin entre prémonitions du paradis et promesses de l'enfer.

\* Trad. Yves Bonnefoy, Gallimard, 1993.

# V

## LE JEU DES MOTS

"La question, dit Alice, est de savoir
si vous avez le pouvoir de faire
que les mots signifient autre chose
que ce qu'ils veulent dire."

"La question, riposta Humpty-Dumpty,
est de savoir qui sera le maître…
un point c'est tout."

*De l'autre côté du miroir*, chapitre VI

# LE PHOTOGRAPHE AVEUGLE

> *"Etes-vous capable de vous rete-*
> *nir de pleurer en pensant à cer-*
> *taines choses ? demanda-t-elle.*
> *— Certes, c'est ainsi que l'on pro-*
> *cède, répondit, péremptoire, la*
> *reine. Nul ne peut faire deux cho-*
> *ses à la fois, savez-vous bien."*
>
> *De l'autre côté du miroir,*
> chapitre V.

EN SEPTEMBRE 1963, Seix-Barral, à Barcelone, publia un bref roman, *La Ville et les Chiens*, d'un jeune écrivain péruvien inconnu, Mario Vargas Llosa. Le roman arriva chez nous à Buenos Aires avant la fin du trimestre. Mon professeur d'espagnol, au lycée, disait en privé que c'était un chef-d'œuvre et en public qu'il ne fallait surtout pas le mettre au programme d'une classe d'adolescents haletants : trop de violence rebelle, trop d'obscure sexualité, trop de contestation de l'autorité. Il n'avait jamais rien existé de pareil dans la littérature roma-nesque de langue espagnole. Mise en cause féroce du système militaire péruvien, incandes-cente de rage contre l'hypocrisie de l'ordre établi reflété dans la très prestigieuse académie militaire de Lima (où l'auteur avait été élève), c'était aussi la chronique d'un rite adolescent

de passage dans les rangs du patriarcat diri-
geant. Le livre provoqua chez les autorités une
telle fureur que, dans la tradition des pères fon-
dateurs de la cité, ils ordonnèrent un autodafé
et firent brûler des quantités d'exemplaires dans
la cour de l'académie. A l'orée de ce qu'on allait
appeler, selon une trouvaille de la publicité culturelle, le "boom" de la littérature latino-américaine,
*La Ville et les Chiens* fut bientôt reconnu comme
un classique moderne, un roman qui parvenait
à exprimer, dans une prose superbe, une protestation à la fois contagieuse et, en même temps,
d'une sage ambiguïté, tant quant au style qu'à la
structure, grâce aux voix mouvantes de ses personnages et au refus de l'auteur de faire verser
le récit dans le genre policier, avec lequel il
paraissait flirter.

Jusqu'alors, ce qu'on appelait le roman contes-
tataire dans les littératures latino-américaines
avait considéré Zola comme son modèle. A l'ombre immense de l'auteur de *La Terre* et de
*Germinal*, l'Equatorien Jorge Icaza avait écrit
*Huasipungo*, le Péruvien Ciro Alegría, *Vaste est le
monde* – des romans qui s'attachaient à la condition lamentable des Indiens exploités, mais
dont la qualité littéraire n'était malheureusement pas à la hauteur d'incontestables bonnes
intentions. Il y en eut d'autres, plus réussis, par
le grand Juan Rulfo au Mexique, par le grand
José María Arguedas au Pérou, et grâce à eux
nous découvrîmes l'existence de gens que notre
culture européenne nous avait appris à ignorer,
des gens dont on ne nous avait raconté que des
histoires de hordes meurtrières, de coutumes
sauvages et de civilisations disparues réduites
en poussière sous les sabots victorieux des conquistadors. Les visages cuivrés que nous croisions

tous les jours dans les rues, de plus en plus nombreux au fur et à mesure qu'on s'éloignait de la capitale, étaient restés invisibles jusqu'à ce que, page après page, la littérature nous rappelle leur présence.

Vargas Llosa ne suivit pas la voie de sang et d'orage de Zola et de ses disciples mais préféra se choisir Flaubert pour guide. Aux yeux de Vargas Llosa, Flaubert (sur qui il écrivit plus tard un superbe essai, *L'Orgie perpétuelle*) est à l'origine du roman moderne par l'emploi qu'il fait, au prix de son invisibilité, d'un narrateur "objectif" qui, par son refus de tout prêche, donne l'impression de raconter une histoire vraie. Vargas Llosa trouvait la littérature de Zola proche du journalisme de manière gênante. Flaubert, lui, proposait la création d'une réalité fictionnelle faite d'événements que tout lecteur pouvait avoir vécus et des fabrications de laquelle tout lecteur pourrait apprendre la vérité. Des années plus tard, en 1989, Vargas Llosa demandait :

> Quelle différence y a-t-il entre la littérature romanesque et un article de journal ou un livre d'histoire ? Ne sont-ils pas, les uns et les autres, composés de mots ? N'emprisonnent-ils pas dans le temps artificiel du récit ce torrent débridé qu'est le temps réel ? Ma réponse, c'est qu'il s'agit de systèmes opposés ayant pour objectif de se rapprocher de la réalité. Alors que le roman se révolte et transgresse la vie, ces autres genres ne peuvent qu'en être l'esclave.

Lorsque nous lisions *La Ville et les Chiens* à l'époque de sa première publication, nous ne possédions d'autre image de l'auteur que celle du narrateur éloquent et accusateur. Lui-même, comme Flaubert l'avait suggéré, demeurait invisible ; nous étions totalement convaincus qu'il

disait la vérité et que sa fiction était d'une objec-
tivité rigoureuse. Tandis que nous découvrions
ses romans suivants – *La Maison verte, Conversation dans la cathédrale* –, que nous atten-
dions avec une impatience avide, nous ne
cessions de nous demander qui était ce Vargas
Llosa. Et puis, à un moment donné, dans les
années quatre-vingt, je pris peu à peu conscience
de sa personnalité politique. Je commençai à
lire ses déclarations politiques à propos de
l'Amérique latine et de son cortège de douleurs, déclarations dans lesquelles il avançait
des suggestions en vue d'expliquer ou d'améliorer les mœurs de la société et qui aboutirent
en 1990 à sa campagne pour la présidence du
Pérou. Je fus alors frappé par l'opposition que
je remarquais entre les opinions qu'il professait
dans ses romans et celles qu'il manifestait dans
la presse – comme si, tel un photographe
aveugle, il était incapable de voir la réalité
humaine que son objectif avait saisie avec tant
de puissance.

La conclusion s'imposa à moi qu'il y avait deux
Vargas Llosa. Le premier est le grand romancier,
le conteur, cet homme si sensible à l'Autre qu'il
peut recréer des histoires à partir de l'expérience
personnelle de cet Autre, traduire la réalité sous
une forme romanesque à travers une expérience
commune (ou imaginée en commun). "Créer,
c'est établir un dialogue, écrire, c'est avoir toujours à l'esprit cet *hypocrite lecteur, mon semblable, mon frère*, dont parle Baudelaire. Ni
Adam ni Robinson Crusoé n'auraient pu être
poètes ou romanciers", écrivait ce premier Vargas
Llosa. Le second Vargas Llosa, lui, est incapable
de dialogue, parce qu'il est aussi aveugle à
l'Autre que Crusoé, il ne peut l'imaginer que

comme une caricature de tout ce que Vargas Llosa n'a pas envie d'être. Il rejette les arguments féministes et indigénistes sous prétexte qu'ils sont "politiquement corrects", ce qui revient à rejeter "Tu ne tueras point" et "Tu ne voleras point" sous prétexte qu'ils sont judéo-chrétiens. Tel Mr Podsnap dans *L'Ami commun*, de Dickens, ce second Vargas Llosa souhaite débarrasser le monde des "désagréables" qui peuvent être balayés "d'un grand geste du bras, et le rouge aux joues". Le "Pas anglais !" de Mr Podsnap se traduit pour ce second Vargas Llosa en "Pas blanc ! Pas occidental ! Pas moderne !".

Vargas Llosa le romancier définit ses collègues et lui-même comme "des mécontents profes-sionnels, perturbateurs conscients ou incons-cients de la société, rebelles habités par une cause, les révolutionnaires impénitents de notre monde". Vargas Llosa le politicien s'est déclaré antirévolutionnaire, avocat du thatchérisme, défenseur de la honteuse amnistie décidée par le président Menem pour les responsables de la disparition de milliers de citoyens pendant la dictature militaire en Argentine, partisan d'une modernisation du Pérou, qui ne serait possible qu'au prix du "sacrifice des cultures indiennes". (Ainsi que l'a fait observer Ronald Wright en réponse à l'article de Vargas Llosa dans lequel figure cette déclaration, "Ce sacrifice est, bien entendu, celui que de nombreux Péruviens blancs ont été impatients d'exécuter depuis que le premier d'entre eux a posé le pied sur le rivage avec Pizarro".)

Devant des comportements aussi contra-dictoires, on se pose une question apparem-ment sans réponse (ou peut-être est-ce une question qu'on ne devrait pas poser), relative

aux obligations d'un écrivain en tant qu'artiste
et en tant que personne. Cette dichotomie elle-
même est suspecte : nous pouvons lire l'*Odyssée*
sans rien savoir d'Homère et pourtant des réalités de temps et d'espace, cramponnées tels des
coquillages à la coque de l'œuvre, confèrent à
un auteur dont l'histoire personnelle a depuis
longtemps disparu en poussière une forme imaginaire. C'est très bien de se rappeler qu'une
histoire n'est pas nécessairement celle de l'auteur, que des personnages inventés ne pronon-
cent pas les mots réels, n'expriment pas les vraies
opinions de l'auteur, que même l'autobiographie est une forme de fiction et que les écrivains ne se font qu'une idée tâtonnante de ce
qu'ils ont créé ; mais nous voulons que la fiction
coïncide avec la réalité, et nous nous sentons
perturbés quand Aristote présente des arguments en faveur de l'esclavage ; ou quand Virginia Woolf dit à son mari, à table, en passant
un plat à des membres de sa belle-famille :
"Donnons à manger aux Juifs !" ; ou quand le
"révolutionnaire impénitent" qui nous a enthou-
siasmés avec *La Ville et les Chiens* approuve
l'amnistie accordée à des tortionnaires et plaide
pour l'annihilation des cultures indiennes. Nous
voulons que l'artiste soit digne de son art, qu'il
soit un homme meilleur que celui que, nous-
même, nous souhaiterions être.

Mais *faut-il* lire une œuvre de fiction à la
lumière de ce qu'on sait (ou qu'on croit savoir)
de l'auteur ? Vargas Llosa, pour sa part, semble
soutenir que oui, avec ses parallèles embarrassants
entre sa vie et son œuvre, sa façon de se soumettre à notre examen dans *Le Poisson dans
l'eau* (1993), une espèce d'autobiographie qui
est aussi un manifeste politique, des Mémoires

qui se lisent comme une curieuse collaboration entre les deux Vargas Llosa, mais où le Vargas Llosa politicien paraît dominant. Le livre consiste en une succession de scènes d'enfance et d'éveil adolescent ainsi qu'en notes extraites des carnets de l'écrivain qui révèlent les racines de sa création avec, ici et là, de violentes harangues du candidat déçu à la présidence. Il s'ouvre sur une épigraphe empruntée à l'ouvrage de Max Weber intitulé, de manière significative, *Politics as a Vocation** :

> Les premiers chrétiens savaient aussi très explicitement que le monde est régi par des démons et que quiconque se mêle de politique, c'est-à-dire quiconque accepte de se servir du pouvoir et de la violence comme d'instruments, a signé un pacte avec le diable, de sorte qu'il n'est plus vrai que dans son activité le bien ne produise que du bien et le mal du mal, mais que le contraire se passe souvent.

On est tenté de lire ces phrases comme une accusation, où le romancier citerait Weber contre le politicien.

Quand un auteur pose sur le papier, en même temps que ses autres personnages de fiction, le personnage de fiction qui semble les avoir tous créés, et écrit : "Je suis celui qui a rêvé toutes ces histoires ; je suis celui que je dis être", la plupart des lecteurs trouvent difficile d'ignorer la voix qui s'élève du buisson ardent. Vargas Llosa lui-même défend la justesse d'une telle sorte d'interprétation. Par exemple, dans un ingénieux essai consacré à l'écrivain péruvien Sebastián Salazar Bondy, Vargas Llosa propose de lire l'œuvre de celui-ci comme si elle n'était

---

* Littéralement, "La Politique comme vocation". *(N.d.T.)*

que le résultat de la situation sociale de l'auteur. L'argumentation est astucieuse : selon Vargas Llosa, la protestation sociale au Pérou constitue pour un écrivain la forme visible de sa protestation contre son invisibilité en tant qu'artiste.

> Des écrivains sans éditeurs et sans lecteurs, sans public qui les stimule ou exige d'eux quelque chose, ou les oblige à être rigoureux et responsables, cherchent bientôt à découvrir la raison de cette déplorable situation. Ils découvrent alors qu'il y a faute, et que cette faute doit être attribuée à certaines personnes. L'écrivain frustré, réduit à la solitude et à un rôle de paria, ne peut, sauf s'il est aveugle ou stupide, reprocher la triste situation de la littérature et l'indifférence dans laquelle on la tient à des gens de la campagne et des faubourgs qui meurent sans jamais avoir appris à lire et pour qui il va de soi que la littérature ne peut être un besoin vital ni même superficiel parce que, pour eux, elle n'existe pas. L'écrivain ne peut reprocher l'absence d'une culture nationale à ceux qui n'ont jamais eu l'occasion de la créer parce qu'ils vivent dans des conditions constantes d'oppression et de suffocation. Son ressentiment, sa fureur se concentrent logiquement sur ce secteur privilégié de la société péruvienne qui sait lire et pourtant ne lit pas, sur ces familles qui ont les moyens d'acheter des livres et pourtant n'en achètent pas, sur cette classe qui avait la possibilité de faire du Pérou un pays cultivé et convenable et ne l'a pas fait. [...] Le simple fait d'y être un créateur implique qu'on fait partie des rangs des victimes de la bourgeoisie. L'écrivain n'a plus ensuite qu'un pas à franchir pour prendre conscience de cette situation, s'en déclarer responsable et se présenter comme un défenseur des déshérités du Pérou, l'ennemi de leurs maîtres.

L'argument est présenté avec élégance, et son élégance même en dissimule la fausseté. Un lectorat tout acquis ne conduit pas nécessairement à la rigueur et à la responsabilité littéraires. Et supposer qu'un écrivain va prendre le parti des déshérités uniquement par dépit ou pour assouvir un désir de revanche personnelle, c'est désavouer toute conviction politique, quelle qu'en soit la source, et cela en dit moins sur les velléités des écrivains qui s'affirment socialistes que sur l'éthique ténébreuse de Mario Vargas Llosa.

Si l'on applique la méthode de Vargas Llosa, il est donc juste de suggérer que son personnage politique a contribué à l'ahurissant échec de son roman publié en 1993, *Lituma dans les Andes*, dont les personnages, les personnages indiens en particulier, sont des caricatures, des figures du répertoire, aussi inanimées que les étrangers basanés d'Agatha Christie ou les sauvages africains de Rider Haggard. Dans *La Ville et les Chiens*, les cadets venaient "de la jungle et des montagnes, de tous les départements, races et situations économiques" et les conflits (où se jouaient meurtre, trahison et vengeance) ne naissaient pas de la discrimination envers leur classe sociale ou la couleur de leur peau, mais du heurt d'individus contre le système militaire oppressif qui exigeait d'eux l'endurance dans la douleur et une obéissance aveugle. Ce n'était personne en particulier, c'était l'école elle-même (et, à plus grande échelle, la société péruvienne tout entière) qui portait la responsabilité de la tragédie. Et, en cela, l'écrivain une fois de plus voyait clair : aucun individu n'est à lui seul à la racine du mal, mais plutôt la structure sociale collective qui englobe tout et détermine qui est dedans et qui est dehors, en se définissant par ce qu'elle exclut *via* la peur et les préjugés. *Lituma dans les Andes*, en revanche, est un échec non parce que c'est un roman raciste (ce qui est le cas) mais parce que son racisme empêche Vargas Llosa de bien écrire – c'est-à-dire, l'empêche de donner à ses personnages, même ceux qu'il abomine, une âme, ainsi qu'il avait réussi à le faire dans *La Ville et les Chiens*.

La haine de Vargas Llosa pour les Indiens des Andes est évidente dans tous ses écrits, fictionnels et non fictionnels. Dans *Un poisson dans l'eau*, il analyse les préjugés qui imprègnent la société péruvienne "panachée" :

> C'est une grave erreur, lorsqu'on discute des préjugés raciaux et sociaux au Pérou, de croire qu'ils ne fonctionnent que de haut en bas ; en parallèle au mépris dont les Blancs font preuve vis-à-vis des métis, des Indiens et des Noirs, il existe une amertume des métis à l'égard des Blancs, des Indiens et des Noirs, et de chacun de ceux-ci les uns envers les autres, sentiments – ou peut-être serait-il plus exact de parler de pulsions ou de passions – qui demeurent cachés derrière les rivalités politiques, professionnelles, culturelles et personnelles, selon un processus qu'on ne peut même pas qualifier d'hypocrite, puisqu'il est rarement rationnel et rarement révélé au grand jour.

Ainsi que l'a fait remarquer Herbert Morote dans son essai intitulé *Vargas Llosa, tal cual* (San Sebastián, 1997), cela revient à mettre sur le même plan la haine du bourreau pour sa victime et la haine de la victime pour le bourreau. C'est prétendre que ceux qui ont été pendant des siècles privés de leur identité, de leur langue, de leur culture et de leurs droits les

plus élémentaires ont tort de manifester de l'amertume envers leurs oppresseurs. Pourtant, Vargas
Llosa, l'écrivain, ne s'y trompe pas : "Dans la
majorité des cas, [le préjugé] est inconscient, né
d'un ego qui reste caché et aveugle à la raison ;
on l'absorbe avec le lait de sa mère, et il commence à prendre forme dès le premier vagisse-
ment du Péruvien nouveau-né et ses babillements
de nourrisson." Remarque qui, bien entendu,
ne justifie pas le préjugé de Vargas Llosa mais
qui l'explique dans une certaine mesure. Il est
intéressant en effet de constater que lorsque
Vargas Llosa écrit à propos d'Indiens autres que
ceux qui font partie de son entourage immédiat,
ceux de la lointaine Amazonie, par exemple, le
préjugé disparaît et le romancier s'exprime à
nouveau : ces Indiens sont des gens intéressants et intéressés, exotiques mais vivants, respec-
tés et respectables. C'est le cas dans *L'Homme
qui parle*, l'une des plus belles réussites de
Vargas Llosa, un *Cœur des ténèbres* dans lequel
Kurtz aurait découvert au fond de la jungle
péruvienne non l'horreur mais la joie, l'apprentissage d'une culture à travers le don de soi à
cette culture et le fait de prêter sa voix pour en
raconter les histoires. Pour reprendre les propres
termes de Vargas Llosa, "Parler comme parle un
conteur, cela signifie être capable de sentir et
de vivre au cœur même de cette culture, en
avoir pénétré l'essence, avoir atteint la moelle
de son histoire et de sa mythologie, donné corps
à ses tabous, à ses images, à ses désirs ances-
traux, à ses terreurs". Le second Vargas Llosa
devrait faire graver ces mots en lettres de feu.
    Et tout le temps, tandis que Vargas Llosa le
politicien concluait son pacte avec le diable,
Vargas Llosa le romancier continuait son dialogue

avec l'Autre et, de la chronique des souffrances de ses frères humains, passait à la description de leurs joies. En 1988, il commença d'écrire ce que lui-même appelait de la "fiction érotique", et publia *Eloge de la marâtre* dans la collection joliment nommée "Le Sourire vertical", éditée par Tusquets à Barcelone. *Les Cahiers de don Rigoberto* devaient suivre quelques années plus tard.

Vargas Llosa a un jour défini l'amour érotique comme une *complicidad de fantasmas* ; fantômes et fantasmes n'ont jamais été absents de l'œuvre de Vargas Llosa, et dans *Les Cahiers de don Rigoberto* et *Eloge de la marâtre*, ils n'ont fait que remonter à la surface. Peu de romans érotiques contemporains (dans quelque langue que ce soit, à mon avis) explorent cette surface sensuelle sans se laisser aller au désespoir ni au pathétique et rares sont ceux qui ont le courage d'en assumer le côté ludique. De Georges Bataille à Nicholson Baker, le romancier érotique a tendance à insister sur le prix du péché ; Vargas Llosa propose au contraire une joyeuse mêlée, où le couvert est gratuit et la tenue vestimentaire non codifiée.

*Eloge de la marâtre* est une version heureuse de Phèdre, avec quelques ajustements mineurs : c'est Foncho qui, à peine adolescent, séduit sa belle-mère, la belle Lucrecia, cependant que don Rigoberto, son mari, s'efforce de la retenir grâce à un jeu d'ingénieux fantasmes érotiques. Même si le roman finit mal (Lucrecia est chassée de la maison et Rigoberto, le mari jaloux, est torturé par son absence), il se lit comme une saga érotique jubilatoire, intuition confirmée par le deuxième volume, *Les Cahiers de don Rigoberto*. *Eloge de la marâtre* proposait une suite de tableaux vivants à partir d'œuvres de divers peintres, du *Candaule, roi de Lydie*, de Jordaens, à l'*Annonciation* de Fra Angelico, à travers lesquels don Rigoberto et son précoce rejeton dépeignent les gloires de la belle Lucrecia. Dans *Les Cahiers*, les représentations sont limitées à l'œuvre d'un seul peintre, Egon Schiele, dont les peintures et dessins torturés, vibrants et érotiques servent à cette famille dionysiaque de truchement dans l'expression de leurs désirs imaginaires. Quelles scènes sont réelles, et lesquelles sont des rêveries ? Peu importe, bien entendu : la béatitude érotique n'est qu'en partie physique. Elle est faite surtout de mots et de tableaux, d'histoires et d'images, l'amant en romancier et en peintre.

Peut-être la grande littérature, cette littérature que Northrop Frye a définie comme "possédant une vision d'une nature plus grande que celle de ses meilleurs lecteurs", exclut-elle d'une manière ou d'une autre la laideur morale du préjugé, que grande littérature et littérature de haine ne peuvent coexister. Peut-être, lorsqu'un écrivain s'abaisse au préjugé, perd-il la maîtrise de son art et ses mots refusent-ils de le suivre, de sorte qu'il ne lui reste que des slogans et des emblèmes, les cosses du langage. C'est ce qui est arrivé à Neruda dans ses poèmes contre Nixon, à Chesterton dans ses moments de sentimentalisme antisémite ou raciste, à Strindberg dans ses diatribes contre les femmes, à Pound, à Céline, à bien d'autres.

Dans l'esprit de Frye, un "grand" écrivain est un écrivain dans l'œuvre de qui les lecteurs peuvent grandir "sans jamais avoir conscience d'une circonférence". Je crois que cela est vrai du romancier Vargas Llosa, dont les livres incommensurables – ambitieux, sages, arrogants, tentaculaires, intimes, pathétiques, rageurs, enjoués, pleins de contradictions, sources d'illumination – ne cessent d'étendre leurs limites bien loin hors de portée de l'autre Vargas Llosa, leur vain lecteur.

## LIRE BLANC POUR NOIR

> *Mais que dirais-je d'aucuns, vraiment plus dignes d'être appelés traditeurs que traducteurs ? Vu qu'ils trahissent ceux qu'ils entreprennent d'exposer, les frustrant de leur gloire, et par même moyen séduisent les lecteurs ignorants, leur montrant le blanc pour le noir.*
>
> JOACHIM DU BELLAY,
> *Défense et Illustration
> de la langue française*, I, 6,

> *Nous ne pouvons interdire que ce que nous pouvons nommer.*
>
> GEORGE STEINER,
> *Après Babel*, 1973.

PENDANT UNE PARTIE des années 1992 et 1993, j'ai travaillé à la traduction de trois nouvelles de Marguerite Yourcenar. Publiées en français sous le titre de *Conte bleu*, que j'ai rendu en anglais par *A Blue Tale*, ces nouvelles sont une œuvre de jeunesse de cet auteur qui allait devenir avec l'âge une styliste si accomplie. Ecrites avec l'exubérance et l'aplomb de la jeunesse, ces nouvelles passent parfois – c'est bien compréhensible – de la sobriété du bleu au pourpre le plus corsé. Puisque les traducteurs, à la différence des écrivains, ont la possibilité de corriger les erreurs du passé, il m'a semblé que préserver tous les éclats et toutes les volutes du jeune texte de Yourcenar ne représenterait qu'une entreprise pédante, moins destinée aux amoureux de la littérature qu'aux urologues littéraires. De plus, la langue anglaise supporte moins bien l'effervescence que le français. Et c'est ainsi que quelquefois – *mea culpa, mea maxima culpa* – j'ai discrètement supprimé un adjectif ou tronqué une comparaison excessive.

A son ami Edmund Wilson, qui lui reprochait d'avoir traduit *Eugène Onéguine* défauts compris, Vladimir Nabokov répliqua que l'affaire du traducteur n'est pas d'améliorer ni de commenter l'original mais de donner au lecteur ignorant d'une langue un texte recomposé dans *tous* les mots équivalents d'une autre. Nabokov estimait, semble-t-il (mais j'ai peine à croire que ce maître en la matière ait pu réellement penser pareille chose), que les langues sont "équivalentes" aux deux plans du sens et des sonorités, et que ce qui a été imaginé dans l'une peut être imaginé à nouveau dans une autre – sans qu'ait lieu une création nouvelle. Mais la vérité (ainsi que le découvre tout traducteur dès le début de la première page), c'est que le phénix imaginé dans une langue n'est qu'un poulet de basse-cour dans une autre, et que pour investir ce volatile particulier de la majesté de l'oiseau relevé de ces cendres, une autre langue pourrait avoir besoin de la présence d'une autre créature, choisie dans un bestiaire possédant ses propres critères d'étrangeté. En anglais, par exemple, le mot *phoenix* a conservé une sonorité fantastique évocatrice ; en français, moins ; en espagnol, *ave fénix* fait partie de la rhétorique pompeuse héritée du XVIIe siècle.

Au début du Moyen Age, le mot translation (dérivé de *translatum*, participe passé du verbe latin *transfere*, transporter), qui, en anglais, signifie traduction (dérivé de *traducere*, conduire à travers, faire passer), désignait le transfert des reliques d'un saint d'un lieu à un autre. De telles translations étaient parfois illégales, lorsque les restes sacrés étaient volés dans une ville et emportés pour la plus grande gloire d'une autre. C'est ainsi que le corps de saint Marc arriva de Constantinople à Venise dissimulé sous un chargement de viande de porc que les gardiens turcs des portes de Constantinople refusèrent de toucher. S'emparer d'un objet précieux et se l'approprier par tous les moyens : voilà une définition de la *translation* qui convient mieux sans doute à la traduction littéraire que celle de Nabokov. C'est en ce sens que Joachim du Bellay entendait ses *tranlationes studii*, poèmes "traduits", inspirés par Rome, et que, dans la conclusion de sa *Défense et Illustration de la langue française*, il incitait les poètes, ses confrères, à "avancer courageusement" et à violer et piller les trésors de la Ville Eternelle.

Aucune traduction n'est jamais innocente. Toute traduction implique une lecture, un choix de sujet comme d'interprétation, le refus ou la mise à l'écart d'autres textes, une redéfinition dans les termes imposés par le traducteur qui, à cette occasion, usurpe le titre d'auteur. Parce qu'une traduction ne saurait être impartiale, pas plus qu'une lecture ne peut échapper aux préjugés, le fait de traduire comporte une responsabilité qui dépasse de loin les limites de la page imprimée, non seulement d'un langage à l'autre mais souvent à l'intérieur d'un même langage, d'un genre à l'autre, ou des rayonnages d'une littérature à ceux d'une autre. Ainsi, toutes les "traductions" ne sont pas reconnues comme telles : quand Beckett traduit Beckett, ou quand Marthe Robert rentre généreusement au "bercail" de la littérature française la version qu'a donnée Baudelaire des contes de Poe, les déplacements du texte sur un certain plan dramatique ou vers un certain panthéon littéraire sont rarement considérés comme des "traductions" au sens étymologique. Car, sans aucun doute, tout traducteur déguise le texte sous un autre – qui le sert ou le dessert.

Si traduire n'était qu'un simple échange, la traduction n'offrirait pas plus de possibilités de distorsion et de censure (ou d'amélioration et d'éclaircissement) que la photocopie ou, au mieux, les transcriptions de manuscrits réalisées par des moines copistes. Hélas, n'en déplaise à Nabokov, tel n'est pas le cas. Si nous admettons que toute traduction, du seul fait de transférer le texte vers une autre langue, un autre temps, un autre lieu, le modifie pour le meilleur ou pour le pire, nous devons aussi reconnaître que toute traduction – translittération, reprise, changement d'appellation – ajoute au texte original une lecture "prête à porter", un commentaire implicite. Et c'est là qu'intervient le censeur.

Le fait qu'une traduction peut cacher, déformer, atténuer ou même anéantir un texte est admis sans peine par le lecteur, qui la reçoit comme une "version" de l'original. Dans l'index du livre de John Boswell, *Christianisme, tolérance sociale et homosexualité*, où l'historien américain explore en pionnier l'homosexualité au Moyen Age, on trouve à l'article "Traduction" : voir

"Traduction fausse" – ou ce que Boswell, dans le texte, qualifie de "falsification délibérée de données historiques". Les cas de traductions aseptisées de classiques grecs et romains sont trop nombreux pour qu'on les cite, et vont d'un changement de pronom dissimulant délibérément l'identité sexuelle d'un personnage à la suppression d'un texte entier, tel celui des *Amores* du Pseudo-Lucien, que Thomas Francklin, en 1781, supprima de sa traduction anglaise des œuvres de cet auteur parce qu'il contient un dialogue explicite, au sein d'un groupe d'hommes, au sujet du caractère plus ou moins érotiquement désirable des garçons et des femmes. "Mais comme cette question, dans ce pays du moins, a été depuis longtemps tranchée en faveur des femmes, il n'est pas nécessaire d'en discuter davantage", écrivait Francklin, le censeur.

Pendant tout le XIXᵉ siècle, les textes classiques grecs et romains n'étaient recommandés pour l'éducation morale des femmes que "purifiés" par la traduction. Le révérend J. W. Burgon s'en expliqua quand, en 1884, il prêcha en chaire du New College, à Oxford, contre l'admission des femmes à l'université, où elles devraient étudier les textes dans la version originale.

> Pour qu'elle puisse avec quelque succès disputer aux hommes les "honneurs", il faudra lui permettre d'accéder sans réserve aux auteurs classiques de l'Antiquité – en d'autres termes, la confronter aux obscénités des littératures grecque et romaine. Pouvez-vous sérieusement envisager cela ? C'est donc qu'une partie de votre programme consiste à souiller cet esprit adorable au contact de la civilisation ordurière du monde antique, et à faire connaître aux jeunes filles en fleur cent choses abominables dont les femmes

de tous âges (et les hommes aussi, si *cela* était possible) préféreraient mille fois se passer ?

Il est possible de censurer par la traduction non seulement un mot ou une ligne d'un texte, mais aussi une culture entière, ainsi qu'on l'a fait bien des fois au cours des siècles chez les peuples conquis. C'est ainsi que, vers la fin du XVIᵉ siècle, les jésuites obtinrent du roi d'Espagne Philippe II, champion de la Contre-Réforme, l'autorisation de s'établir, à la suite des franciscains, dans les jungles de ce qui est aujourd'hui le Paraguay. De 1609 à leur expulsion des colonies en 1767, les jésuites établirent pour les indigènes guaranis des communautés entourées de murs, communautés appelées *redducciones* parce que les hommes, les femmes et les enfants qui y habitaient étaient "réduits" aux dogmes de la civilisation chrétienne. Les différences entre peuples conquis et conquérant restaient néanmoins difficilement surmontables. "Ce qui fait de moi un païen à tes yeux, dit un chaman guarani à l'un des missionnaires, c'est ce qui t'empêche de paraître chrétien aux miens\*." Les jésuites se rendirent compte qu'une conversion effective requérait la réciprocité et que la compréhension de l'autre était la clef qui leur permettrait de maintenir les païens dans ce que l'on appelait, empruntant au vocabulaire de la littérature mystique chrétienne, "une secrète captivité". Le premier pas vers la compréhension de l'autre consistait à apprendre et à traduire sa langue.

Une culture se définit par ce qu'elle peut nommer ; afin d'exercer la censure, l'envahisseur

---

\*Cité dans *Tentación de la utopía : la República de los jesuitas en el Paraguay*, Tusquets, Barcelone, 1991.

doit disposer lui aussi des mots permettant de nommer les mêmes choses. Par conséquent, le fait de traduire dans la langue du conquérant comporte toujours en soi le danger d'assimiler ou d'annihiler ; traduire dans la langue du peuple conquis, le danger d'écraser ou de saper. Ces conditions inhérentes à la traduction s'étendent à toutes les variétés de déséquilibre politique. Le guarani (qui est encore, sous une forme très altérée, la langue parlée par plus d'un million de Paraguayens) avait été jusqu'alors un language oral. Le franciscain Luis de Bolaños, que les indigènes appelaient "le magicien de Dieu" à cause de son don des langues, rassembla les éléments du premier dictionnaire guarani. Son œuvre fut poursuivie et améliorée par le jésuite Antonio Ruiz de Montoya qui, après plusieurs années de labeur acharné, intitula l'ouvrage achevé : *Thésaurus de la langue guarani*. Dans sa préface à une histoire des missions jésuites en Amérique du Sud, *Tentación de la utopía*, le romancier paraguayen Augusto Roa Bastos fait observer que, pour que les indigènes adoptent la foi dans le Christ, il fallait avant tout qu'ils puissent réviser leur conception ancestrale de la vie et de la mort. En se servant des propres mots des Guaranis, et en profitant de certaines coïncidences entre les religions chrétienne et guarani, les jésuites retraduisirent les mythes guaranis de façon qu'ils préfigurent ou annoncent la vérité du Christ. Et le Dernier-Dernier-Premier-Père, Ñamandú, créateur de son propre corps et des attributs de ce corps à partir des brouillards originels, devint le Dieu chrétien de la Genèse. Et Tupá, le Premier Parent, une divinité mineure dans le panthéon guarani, devint Adam, le premier homme. Et les bâtons croisés, *yvyrá*

*yuasá*, qui, dans la cosmologie guarani, soutiennent le domaine terrestre, devinrent la sainte
Croix. C'est ainsi que, de façon fort commode,
puisque la deuxième action de Ñamandú fut
de créer la parole, les jésuites purent charger la
Bible traduite en guarani du poids indiscuté de
l'autorité divine.

Dans leur traduction espagnole de la langue
guarani, les jésuites attribuèrent à certains termes
qui désignaient un comportement social accep-
table, voire recommandable chez les indigènes,
une connotation de ce comportement tel que le
percevaient l'Eglise catholique ou la cour d'Espagne. Les concepts guaranis d'honneur personnel,
de reconnaissance silencieuse lors de l'accepta-
tion d'un cadeau, d'un savoir spécifique plutôt
que général et d'une réaction sociale aux muta-
tions des saisons et de l'âge furent grossièrement
et commodément traduits par orgueil, ingratitude,
ignorance et instabilité. Ce vocabulaire permit
au voyageur viennois Martin Dobrizhoffer de
méditer en 1783, seize ans après l'expulsion des
jésuites, dans ses *Geschichte der Abiponer*, sur
la nature corrompue des Guaranis : "Leurs nombreuses vertus, qui appartiennent sans nul doute
à des êtres rationnels, capables de culture et
d'éducation, servent de frontispice à des compo-
sitions très irrégulières dans les œuvres proprement dites. Ils font penser à des automates dans
la fabrication desquels on aurait inclus des éléments *d'orgueil, d'ingratitude, d'ignorance et
d'instabilité.* De ces sources principales jaillissent
les ruisseaux *de paresse, d'ivrognerie, d'insolence
et de méfiance*, ainsi que bien d'autres désordres
qui invalident leur qualité morale."

Quoi qu'eussent professé les jésuites, le nouveau système de croyances ne contribua pas au

bonheur des indigènes. En 1769, l'explorateur français Louis Antoine de Bougainville décrivit les Guaranis en ces termes laconiques :

> Ces Indiens sont de pauvres bougres. Toujours tremblants sous la règle d'un maître pédant et sévère, ils ne possèdent rien et sont soumis à une vie laborieuse dont la monotonie suffirait à faire mourir d'ennui. C'est pourquoi, lorsqu'ils meurent, ils n'éprouvent aucun regret à quitter cette vie.

Lorsque les jésuites furent expulsés du Paraguay, le chroniqueur espagnol Fernández de Oviedo put dire de ceux qui avaient "civilisé" les Guaranis ce que le Breton Calgacus aurait déclaré, selon Tacite, à la suite de l'occupation de la Bretagne par les Romains : "Les hommes qui ont commis ces actes appellent «pacifiées» les zones ainsi conquises. Il me semble qu'elles sont plus que pacifiées – elles sont détruites."

Tout au long de l'Histoire, la censure a été exercée également dans le domaine de la traduction sous des dehors plus subtils, et de nos jours, dans certains pays, la traduction est l'un des moyens grâce auxquels des auteurs "dangereux" sont soumis à des purges purificatrices (le Brésilien Nélida Piñón à Cuba, Oscar Wilde le décadent en Russie, les chroniqueurs amérindiens aux Etats-Unis et au Canada, et, en Espagne, Georges Bataille, l'"enfant terrible" français, ont tous été publiés en versions tronquées. Et, en dépit de mes bonnes intentions, ne pourrait-on considérer ma traduction de Yourcenar comme une sorte de censure ?) Il arrive souvent que des auteurs dont les idées politiques risquent de rendre la lecture inconfortable ne soient tout simplement pas traduits ; que des auteurs au style exigeant soient laissés de côté au profit d'écrivains plus faciles d'accès, ou condamnés à des traductions faibles ou maladroites ; enfin (mais c'est peut-être pousser un peu loin la notion de censure) des auteurs qui écrivent dans une langue vernaculaire sans correspondance évidente avec la langue du traducteur se retrouvent entravés par des notes explicatives qui condamnent leurs textes à l'académisme.

Toutes les traductions ne relèvent pas, néanmoins, de la corruption et de la tromperie. Parfois, la traduction peut sauver certaines cultures, justifiant ainsi les traducteurs dans leur laborieux dévouement. En janvier 1976, le lexicographe américain Robert Laughlin s'agenouilla devant le premier magistrat de la ville de Zinacantán, dans le Sud du Mexique, pour lui offrir un livre dont il avait passé quatorze années à rassembler les éléments : le grand dictionnaire tzotzil, qui rend en anglais la langue maya de cent vingt mille indigènes du Chiapas, connus aussi comme "le Peuple de la Chauve-Souris". En présentant le dictionnaire au notable tzotzil, Laughlin déclara dans ce langage qu'il avait si laborieusement enregistré : "Si quelque étranger devait venir prétendre que vous êtes des Indiens stupides et bornés, montrez-lui ce volume, montrez-lui les trente mille mots de votre savoir, de votre intelligence."

Cela devrait, cela doit suffire.

## LE PARTENAIRE SECRET

*Il est rigoureusement impossible de persuader un* editor *qu'il n'est rien.*

WILLIAM HAZLITT,
*On Editors*, 1819.

E N 1969, LE ROMANCIER CANADIEN Timothy
Findley se rendit à New York pour travailler avec son éditeur américain sur les
épreuves de son deuxième roman, *The Butterfly
Plague**. Les maisons d'édition canadiennes
n'étaient pas encore impressionnées par cet acteur
devenu auteur, mais Viking, l'illustre maison
américaine, avait manifesté son intérêt pour cet
auteur débutant. L'éditeur chargé du livre de
Findley était Corlies M. Smith, dit "Cork", qui
était également l'éditeur des lettres de James
Joyce. Smith lut *The Butterfly Plague*, chronique
d'une famille hollywoodienne sur le déclin avec
l'Allemagne nazie en toile de fond, et, bien que
le livre lui plût beaucoup, se déclara insatisfait
sur un point : il voulait savoir ce que "signifiaient"
les papillons dans le récit, et conseilla vivement
à Findley de l'expliciter. Findley était jeune,
inexpérimenté et inquiet à l'idée de déplaire à

* Littéralement, "La Peste aux papillons". *(N.d.T.)*

l'éditeur dont il avait si grand besoin, et il s'inclina devant la suggestion de Smith. Il retravailla son livre de manière à expliquer les papillons, et le roman parut dûment sous le label Viking.

Ce que cette anecdote a d'extraordinaire, c'est que la majorité des lecteurs nord-américains n'y verrait rien d'extraordinaire. Même le moins expérimenté des auteurs de fiction sait que, pour avoir la moindre chance d'être publiés, ses manuscrits doivent passer entre les mains de professionnels appelés *editors*, dont le travail dans les maisons d'édition consiste à lire les livres considérés en vue de publication et à recommander les modifications qu'ils jugent appropriées. (Le paragraphe que vous êtes en train de lire ne sera pas celui que j'ai écrit à l'origine, car il devra subir l'inquisition d'un *editor* ; à vrai dire, quand une première version de cet essai a été publiée dans le magazine *Saturday Night*, cette phrase entière avait été coupée.)

Les écrivains, d'une susceptibilité notoire en ce qui concerne leur art, ne parlent pas volontiers de cette assistance obligée, sauf en termes généraux, ou alors en privé. La littérature contemporaine offre en abondance des exemples de malversations aussi bien que de rédemption, mais les auteurs préfèrent que ces interventions restent secrètes – et ils ont raison. Tout compte fait, une œuvre de fiction appartient à son auteur et doit être considérée comme sienne. Les écrivains (et les éditeurs en sont d'accord) n'ont pas besoin de rendre publics les coutures et rapiéçages résultant de leur collaboration. Les écrivains veulent être les seuls géniteurs.

Néanmoins, sous cette réserve gît un paradoxe. L'écrivain qui se sait le seul auteur d'un texte, un peu étonné de l'existence même de ce texte et plus qu'un peu perplexe devant les mystères qu'il renferme, sait aussi qu'avant d'être publié ce texte sera soumis à l'examen de professionnels, et qu'il faudra répondre à des questions ou accepter des suggestions, renonçant ainsi, en partie, à l'autorité unique de l'écrivain. Avant d'être présenté au monde, tout auteur de fiction en Amérique du Nord et dans la plus grande partie du Commonwealth acquiert, en quelque sorte, un copilote.

La reconnaissance de la profession d'éditeur* n'est ni aussi ancienne ni aussi répandue que pourrait le supposer le public anglo-saxon. Dans le reste du monde elle est pratiquement inconnue : même en Angleterre, elle n'est apparue que près de deux siècles et demi après l'introduction de la presse à imprimer. L'*Oxford English Dictionary* date de 1712 la première mention du mot *editor* au sens de "celui qui prépare l'œuvre littéraire d'un autre", mais dès la fin du XIIᵉ siècle, Joseph Addison, fondateur de la revue *The Spectator*, l'utilisait pour désigner une personne qui travaille sur un ouvrage que l'auteur peut aussi bien avoir achevé que laissé inachevé. L'éditeur, au sens de "celui qui travaille avec l'auteur à la réalisation d'une œuvre de fiction", n'est apparu dans l'histoire que beaucoup

---

* Le mot est pris ici, bien entendu, au sens du mot anglais *editor*, qui n'en est que partiellement l'équivalent ; en français, "éditeur" signifie à la fois, selon le *Robert*, 1) "Personne qui fait paraître un texte", et 2) "Personne (ou société) qui assure la publication et la mise en vente (d'ouvrages imprimés)" – en anglais, *publisher*. Pour éclairer le rôle de l'*editor* (dont il est question dans ce texte), on peut se rappeler qu'en anglais le même verbe *to edit* désigne son activité et celle du monteur d'un film. *(N.d.T.)*

plus tard, au cours des premières décennies du
XXᵉ siècle. Avant cela, il n'existe que des allusions
éparses à des conseils éditoriaux : les suggestions d'Erasme à Thomas More à propos de
*L'Utopie*, les indications données à Wilkie Col-
lins à propos d'une intrigue par Charles Dickens,
éditeur de *Household Words*\*.

Pour trouver un véritable éditeur au sens anglais
contemporain, il faut attendre les années vingt,
quand apparut à New York une figure aujour-
d'hui légendaire : Maxwell Perkins, éditeur de
Scott Fitzgerald, d'Ernest Hemingway, d'Erskine
Caldwell et de Thomas Wolfe. De l'avis général,
Perkins était un éditeur généreux, soucieux de
respecter ce qu'il considérait comme les intentions de l'auteur – bien que son ardeur samari-
taine nous ait empêchés de savoir ce qu'étaient
les manuscrits de Thomas Wolfe avant d'avoir
été troussés par Perkins sous une forme publia-
ble. Avec Perkins, les éditeurs acquirent la res-
pectabilité et un saint patron. (On pourrait
soutenir que le saint patron des éditeurs devrait
être le bandit grec Procuste, qui étendait ses
visiteurs sur un lit de fer et les allongeait ou en
coupait ce qui dépassait de manière à les faire
correspondre exactement à ce qu'il jugeait bon.)

Pour le lecteur moyen, la tâche exacte de
l'éditeur tient du mystère. Dans un petit pam-
phlet signé à plusieurs, *Author & Editor : A Wor-
king Guide*\*\* (1983), Rick Archbold, un éditeur
free-lance distingué, a tenté de l'élucider : "Les
éditeurs ont plusieurs fonctions, écrit-il, qui
varient en nombre selon l'importance et la complexité de la maison d'édition. Elles peuvent

\* Titre d'une revue fondée par Dickens. *(N.d.T.)*
\*\* "Auteur et éditeur, mode d'emploi". *(N.d.T.)*

comprendre l'acquisition des droits de publication des ouvrages ; la vente des droits dérivés ;
l'élaboration de plans de promotion et de mar-
keting ; la rédaction des textes de couverture ;
[…] la supervision de la fabrication ; et la relecture d'épreuves. Et, bien entendu, le «toilettage»
des textes." Nous voilà guère plus avancés. Si
on laisse de côté les domaines de publication
spécialisés, tels que livres scolaires, magazines
ou ouvrages techniques, que font exactement
les éditeurs quand ils disent qu'ils "toilettent"
un texte ?

Une partie au moins de la tâche de l'éditeur,
parfois accomplie par un correcteur ou une cor-
rectrice, consiste simplement à vérifier des faits,
l'orthographe, la grammaire, la conformité avec
le style de ponctuation adopté par la maison, et
à poser des questions de bon sens telles que :
êtes-vous conscient du fait que votre personnage a quinze ans page 21 et dix-huit page 34 ?
Quel que soit le salaire attribué à un éditeur,
il ne suffit sans doute pas à compenser le
caractère ingrat de telles vérifications et contre-
vérifications.

Pourtant, même cet aspect quotidien de l'édition, si nécessaire qu'il puisse sembler, est
potentiellement pernicieux. L'auteur qui sait
que son texte sera examiné par un éditeur peut
juger bon de négliger les mises au point les
plus précises, puisque de toute façon l'éditeur
essaiera d'accorder le texte à ce qui sonne juste
à son oreille professionnelle. Thomas Wolfe,
soumis aux interventions de Perkins, se conten-
tait de jeter à terre les pages non corrigées de
son manuscrit au fur et à mesure qu'il les rem-
plissait, laissant à un ou une dactylo le soin de
les taper et à l'éditeur celui de couper et coller.

Peu à peu, l'écrivain court le danger de ne plus se voir porter son œuvre jusqu'au point où il ne peut aller plus loin (en ne finissant pas son texte mais en l'abandonnant, comme l'a crânement dit Valéry), mais porter son texte jusqu'au seuil d'une salle de classe où le maître en vérifiera pour lui l'orthographe et la grammaire.

Le toilettage représente donc une partie acceptée du travail de l'éditeur. Mais à un certain moment de l'histoire, antérieur même à Maxwell Perkins, l'éditeur a franchi le pas entre la mise en question de l'orthographe et celle du sens, et il a commencé à mettre en question la signification des papillons. Subrepticement, le *contenu* de la fiction est passé sous la responsabilité de l'éditeur.

Dans *Editors on Editing : An Inside View of What Editors Really Do**(ouvrage assemblé par Gerald Gross), l'éditeur, libraire et auteur William Trag a son mot à dire à propos de ce qui fait d'un éditeur un éditeur :

> Un éditeur de livres actif et qualifié doit lire. Il doit lire depuis les premiers temps de son enfance. Il doit lire sans cesse. L'appétit de la chose imprimée est une réalité biologique, une nécessité viscérale et intellectuelle ; le besoin doit s'en trouver dans les gènes.

Bref, un éditeur doit être un lecteur.

C'est bien vrai. Les éditeurs doivent assumer cette fonction ou ne pas faire ce métier. Mais peut-on lire au-delà de ses goûts personnels ? Parce que, pour justifier son intrusion dans le texte vierge d'un auteur, un éditeur ne peut assurément être ni Félix Glousseur, qui adore les

---

* "Des éditeurs parlent de l'édition : leur activité réelle vue du dedans". *(N.d.T.)*

dénouements heureux, ni Dolores Lachrymosa qui préfère les fins dramatiques. L'éditeur doit être comme une conception platonicienne du lecteur ; il doit incarner la fonction de lecteur ; il doit être un Lecteur avec un grand L.

Mais comment, fût-il idéal, ce Lecteur peut-il aider l'écrivain ? Ainsi que le sait tout lecteur, la littérature est une activité à responsabilité partagée. Mais pour supposer que cette activité commune nous permet de connaître le but que s'est fixé l'auteur, un but qui bien souvent ne lui est même pas révélé, à lui, il faudrait être simple d'esprit ou d'une fatuité arrogante. Pour paraphraser un autre auteur, un Livre est ce qu'Il est. Que l'auteur ait ou non réalisé ses intentions, qu'il ait su ce qu'étaient ses intentions ou, en vérité, qu'il n'ait eu d'autre intention que de réaliser ce qui se trouve sous la couverture, c'est un mystère que personne, l'auteur compris, ne peut prétendre élucider. L'impropriété de la question résulte de la richesse et de l'ambiguïté qui sont, à mon avis, les véritables accomplissements de la littérature. "Je ne dis pas que cela ne se trouve pas dans mon livre, répondait le romancier italien Cesare Pavese à un critique qui signalait dans son œuvre un thème métaphysique. Je dis seulement que je ne l'y ai pas mis."

Quand les éditeurs essaient de deviner les "intentions" d'un écrivain (*quod auctor intendit*, ce concept rhétorique inventé par saint Thomas d'Aquin au XIII<sup>e</sup> siècle), quand ils interrogent l'auteur sur la signification de certains passages ou la raison d'être de certains événements, ils supposent qu'une œuvre littéraire peut être réduite à un ensemble de règles ou expliquée dans un compte rendu. Une telle pression, un exercice aussi réducteur constituent effectivement une menace, car l'auteur peut (comme le fit Findley) s'y soumettre et déranger l'équilibre délicat de sa création. Plus âgé, plus expérimenté, moins inquiet à l'idée de s'aliéner ceux qui le publiaient, Findley finit par se rebeller. En 1986, il reprit *The Butterfly Plague* en supprimant l'explication, et la nouvelle version parut chez Viking Penguin.

La menace n'est pas universelle, néanmoins. L'intervention des éditeurs dans le sens d'une "recherche de l'intention de l'auteur" se pratique quasi exclusivement dans l'univers anglosaxon, et moins dans le Royaume-Uni qu'en Amérique du Nord. Dans le reste du monde, en général, elle se limite au "toilettage", une des fonctions de l'édition, et cela avec une prudence qui enverrait des centaines d'*editors* de Chicago et Toronto en quête de carrières plus tapageuses. J'ai travaillé pour des maisons d'édition en Argentine, en Espagne, en France, en Italie et à Tahiti, et j'en ai visité au Brésil, en Uruguay, au Japon, en Allemagne et en Suède. Nulle part, il n'existe une fonction répondant à celle que revendiquent nos *editors* nord-américains, et les littératures de ces autres pays, à ma connaissance, s'en portent fort bien.

Pourquoi l'Amérique du Nord est-elle la serre où poussent les *editors* ? Je dirais que la réponse se trouve dans le tissu mercantile de la société américaine. Parce que les livres doivent être une marchandise de rapport, il faut employer des experts afin de s'assurer que les produits sont suffisamment commerciaux. Au pire, cette entreprise d'uniformisation produit des romans de grande consommation ; au mieux, elle rajuste Thomas Wolfe. En Amérique latine, où les livres sont rarement source de profit, l'écrivain est

abandonné à lui-même et un roman peut s'étendre à loisir, sans crainte des ciseaux éditoriaux.

Malheureusement, l'influence américaine a
commencé à se propager. En Allemagne et en
France, par exemple, le *directeur de collection*,
qui jusqu'ici s'était contenté de choisir les livres
qu'il souhaitait publier, se met désormais à table
avec les écrivains pour discuter de leur travail
en cours. Parfois, l'auteur se bute et refuse de
jouer le jeu. Mais rares sont ceux qui ont le courage ou le culot littéraire d'un Graham Greene,
lequel, à son éditeur américain qui lui suggérait
de modifier le titre de son roman : *Voyages
avec ma tante*, répondit par un télégramme de
huit mots : "Plus facile changer d'éditeur que
changer de titre."

Dans certains cas, des écrivains ont recherché
cette sorte de conseils professionnels et demandé
à un éditeur de clarifier leurs propres intentions.
Il en résulte une collaboration d'un genre particulier. A propos de ce qui est peut-être dans la
poésie moderne le cas le plus connu d'*editing*,
la révision par Ezra Pound du poème de T. S. Eliot
intitulé *La Terre vaine*, Borges faisait remarquer
que "leurs deux noms devraient figurer sur la
page de titre. Si un auteur autorise quelqu'un à
modifier son texte, il n'est plus l'auteur – il est
*l'un* des auteurs, et leur collaboration devrait être
reconnue comme telle."

Au nombre trop grand des vers que Pound a
supprimés (suppressions qu'Eliot avait acceptées), il y a ceux-ci, désormais et pour toujours
absents du poème :

> *Something which we know must be dawn –*
> *A different darkness, flowed above the clouds,*
> *And dead ahead we saw, where sky and sea*
> *should meet,*

*A line, a white line, a long white line,*
*A wall, a barrier, towards which we drove.*

Quelque chose qui, nous le savions, devait être
    l'aube,
Une autre obscurité, se répandit au-dessus des
    nuages,
Et droit devant nous vîmes, où ciel et mer se
    rencontrent,
Une ligne, une ligne blanche, une ligne longue
    et blanche,
Un mur, une barrière, vers laquelle nous allions.

On a dit de *La Terre vaine*, publié après l'intervention de Pound, que c'était "le plus grand
poème de la langue anglaise", et pourtant je
regrette ces vers, et je me demande si Eliot ne les
aurait pas gardés si Pound ne s'en était pas mêlé.

Bien sûr, partout dans le monde, anglo-saxon
ou non, les écrivains montrent leur œuvre avant
qu'elle ne soit publiée (bien que Nabokov affir-
mât que cela revenait à montrer des échantillons
de ses crachats). Un essaim de lecteurs non professionnels – la mère de l'auteur, un voisin, un
amant, un mari ou une épouse – accomplissent
la première inspection rituelle et offrent une poignée de doutes et d'approbations auxquels l'auteur peut choisir de réfléchir ou non. Ce chœur
contradictoire n'est ni la voix du pouvoir, ni la
voix officielle recommandant la révision.

L'éditeur professionnel, par contre, même le
plus subtil et le plus compréhensif (et j'ai eu le
privilège d'avoir affaire à quelques-uns), mâtine
son opinion des couleurs de l'autorité, du simple
fait de sa position. La différence entre un éditeur
salarié et l'un de nos proches est la différence
entre un médecin qui propose une lobotomie
et une tante affectueuse qui recommande une
tasse de thé bien fort.

On a souvent raconté comment Coleridge rêva son *Kubla Khan* sous l'effet de l'opium et comment, au réveil, il se mit à l'écrire et fut interrompu par "un individu venu de Porlock pour affaires", perdant du coup à jamais la conclusion de ce poème extraordinaire. Les individus venus de Porlock sont employés professionnellement par les maisons d'édition du monde anglo-saxon. Certains sont sages et posent des questions qui accélèrent l'écriture ; d'autres distraient ; quelques chicaniers mettent à mal la chétive assurance de l'auteur ; d'autres encore détruisent l'œuvre en cours de création. Tous interviennent, et c'est cette manie de se mêler du texte d'un autre que je conteste.

Sans les *editors*, nous risquons certes d'avoir des textes bavards, incohérents, répétitifs, agressifs même, pleins de personnages dont les yeux sont verts un jour et noirs le lendemain (comme Mme Bovary) ; truffés d'erreurs historiques (tel le vaillant Cortez découvrant le Pacifique dans le sonnet de Keats) ; encombrés d'épisodes mal agencés (voir *Don Quichotte*) ; avec (comme dans *Hamlet*) un dénouement ou (comme dans *Les Mystères de Paris*) un début fait de bric et de broc. Mais avec des *editors* – avec la présence constante et désormais inévitable d'*editors* sans le *nihil obstat* desquels on ne peut quasi rien publier – nous risquons peut-être de rater quelque chose de fabuleusement nouveau, quelque chose d'aussi incandescent qu'un phénix et d'aussi unique, quelque chose d'impossible à décrire parce que ce n'est pas encore né mais qui, si cela existait, n'admettrait à sa création aucun partenaire secret.

# VI

## REGARDER VOIR

"Je ne suis pas encore *tout à fait* décidée,
dit suavement Alice. J'aimerais tout d'abord
jeter un coup d'œil autour de moi,
si vous le permettez."

"Vous pouvez, si vous le désirez,
jeter un coup d'œil en face de vous,
un autre sur votre droite
et un autre sur votre gauche, dit la brebis ;
mais vous ne sauriez en jeter un *autour* de vous,
à moins que vous n'ayez les yeux derrière la tête."

*De l'autre côté du miroir*, chapitre v

## LA MUSE AU MUSÉE

> *Les musées, c'est de la foutaise ; on*
> *y perd son temps ; il ne faut rien*
> *acquérir de seconde main.*

AUGUSTE RENOIR.
(Propos rapportés par G. Coquiot.)

VERS LE MILIEU DU Ier SIÈCLE, un homme entra dans un musée. Celui-ci renfermait, dit-il, "une superbe collection de peintures d'une étendue et d'une diversité remarquables. Il y en avait plusieurs de Zeuxis, indemnes encore des outrages du temps, et deux ou trois esquisses de Protogénès, si vivantes et si fidèles à la réalité que je les caressai en frissonnant presque d'admiration. Il y avait aussi une œuvre d'Apelle, un tableau que les Grecs appellent la *Déesse unijambiste*, devant laquelle je me suis agenouillé avec un sentiment de vénération quasi religieuse. Les figures humaines étaient toutes exécutées avec un naturel si frappant et tant d'exquise délicatesse qu'il semblait que l'artiste eût également peint leurs âmes." Notre visiteur voit des représentations de Zeus, sous l'apparence d'un aigle, emportant Ganymède dans l'Olympe ; d'une naïade passionnée en train de séduire le jeune Hylas ; d'Apollon pleurant la mort de Hyacinthe. Et, entouré de ces amours peintes, il s'écrie, "dans son angoisse solitaire : *Ainsi, même les dieux du ciel sont touchés par l'amour !*"

Près de deux mille ans plus tard, un autre homme entra dans un autre musée.

> Je suis retourné au Salon d'automne, ce matin. Vous savez combien je trouve toujours les gens qui se promènent dans une exposition plus inté-ressants que les tableaux. C'est vrai aussi de ce Salon d'automne – à l'exception de la salle Cézanne. Là, toute la réalité est avec lui, dans ce bleu épais et ouaté qui est le sien, dans ses rouges et ses verts sans ombre et le noir rou-geâtre de ses bouteilles de vin. Quelle humilité ont les objets qu'il peint. Les pommes sont toutes des pommes à cuire et les bouteilles de vin seraient à leur place dans de vieilles poches dé-formées. [...] Et je voulais vous raconter tout cela ; *c'est tellement lié à beaucoup de ce qui nous concerne et à nous-mêmes en cent endroits.*

Le premier visiteur est Pétrone, Petronius Arbi-ter, auteur de ce chef-d'œuvre comique qu'est le *Satiricon*, poète et dandy qui se suicida après avoir, de son lit de mort, dénoncé les atrocités de l'empereur Néron.

Le deuxième visiteur est Rilke, le poète alle-mand Rainer Maria Rilke, dans une lettre à sa femme en 1907.

Tous deux étaient écrivains. Tous deux fré-quentaient apparemment les musées. Tous deux trouvaient, dans ce que les musées avaient à offrir, un miroir ou un écho à leurs propres sentiments et pensées. Tous deux étaient des hommes d'une grande intelligence.

J'ai choisi ces deux exemples presque au hasard. La relation entre écrivains et musées a été longue et fertile, et il n'y a guère d'auteur qui n'ait, à un moment ou à un autre, écrit à propos de ce qu'il ou elle avait vu en visitant un musée. Entre mes exemples, il existe deux différences formelles : Pétrone écrit un roman. Les émotions qu'il décrit ne sont pas les siennes mais celles de son personnage, le jeune Encolpe, lascif et cultivé, à la poursuite de son éphèbe, le capricieux Giton. Rilke écrit une lettre à sa femme, le sculpteur Clara Rilke. Pétrone et Rilke tentent cependant l'un et l'autre de relier ce qui leur est présenté comme de l'art – ce qui est exposé pour être regardé – à une expérience personnelle, à (j'espère que le mot n'est pas trop effrayant) une âme.

Je trouve étrangement émouvant de voir combien les choses ont peu changé et combien leurs expériences rapprochent, à travers dix-neuf siècles, l'esthète allemand de son ancêtre romain. Ils semblent tous deux rechercher le même rapport entre l'objet exposé et l'observateur, et tous deux mènent leur quête dans le cadre du même espace organisé : un espace mis à part dans le but de réunir et de présenter un ensemble d'objets sous une étiquette commune : "art".

L'idée qu'un espace définit son contenu était déjà, du temps de Pétrone, vieille de plusieurs siècles. La bibliothèque d'Alexandrie, en rassemblant non des œuvres d'art mais des livres, avait établi la norme et atteint la même conclusion. Callimaque – le premier bibliothécaire –, Pétrone et Rilke étaient certainement conscients du fait que les catalogues contaminent ce qu'ils cataloguent, l'imprègnent de sens.

Le musée visité par le héros de Pétrone et le Salon d'automne visité par Rilke sont donc des espaces pleins de sens, des espaces qui, par

leur seule existence, prêtent aux objets qui y sont
exposés un sens qu'ils n'auraient peut-être pas
autrement. "L'art, semblent dire ces espaces, c'est
ce qui se trouve dans un musée."

Mais de quelle manière cette notion affecte-
t-elle le visiteur ? Différente, à mon avis, dans
le cas d'Encolpe et dans celui de Rilke. Pour
Encolpe, la célébrité des tableaux qu'il contem-
ple dans le musée les a précédés. Il les observe
avec, en lui, la conviction qu'ils sont importants,
que des gens qu'il considère comme plus sages
que lui en ont chanté les louanges, et que certains d'entre eux ont été anoblis par la tradition
au rang de grandes œuvres d'art. Ils ne sont
donc pas grands seulement à cause du *lieu*
où ils se trouvent ; ces tableaux sont grands à
cause des *commentaires* qu'ils ont suscités. Même
si les Romains du Ier siècle reconnaissaient l'illé-
gitimité de l'*argumentum ad auctoritatem*, la
force tacite des idées reçues était encore considérable. Mais ce n'est pas là tout ce qu'admire
Encolpe. Blessé par l'amour qui l'a quitté, il
identifie à son propre tourment ces représentations de dieux et de déesses dans les affres de
la passion amoureuse. Au-delà de la renommée
officielle des tableaux, il y a autre chose, quelque chose de tout à fait personnel, quelque
chose qui appartient aux tableaux uniquement
quand Encolpe est présent pour en être témoin :
le chagrin d'Encolpe.

On sait qu'Oscar Wilde a décrit l'art comme
un miroir, non de la vie, mais du spectateur.
Certes, les circonstances sociales déterminent la
nature du musée, elles sont à l'origine de son
existence. Mais dans les limites du musée, et
conscient ou non de ce cadre à un degré plus
ou moins grand, le spectateur – ici, Encolpe –

ne se trouve pas confronté au fruit de contraintes extérieures, à ce qui devrait sa forme au cadre, mais à une construction artistique qui requiert son attention personnelle et à laquelle il doit réagir comme s'il était seul au monde.

Rilke pénètre dans son musée à une tout autre allure. On peut imaginer Encolpe, anxieux, tournant la tête d'une image à l'autre à la recherche de son reflet dans les tableaux qui l'entourent dans l'espoir que soit donnée quelque réplique à son chagrin amoureux. Rilke est autrement sobre. Le Salon d'automne est une réunion mondaine et, ainsi qu'il l'écrit, il trouve "les gens qui s'y promènent [...] plus intéressants que les tableaux". En réalité, pour Rilke, le musée est une institution dont le caractère social est si manifeste qu'il y prend part comme il prendrait part à n'importe quelle mondanité. L'expérience artistique – la contemplation et la compréhension de l'art – ne peut être, pour Rilke, une expérience collective. C'est un miracle, mais un miracle privé. "Mais chaque fois, dit-il, le miracle n'est valable que pour une seule personne, uniquement pour les saints auxquels il s'adresse." Ce miracle a lieu lorsque lui, Rilke, se trouve seul dans la foule devant les tableaux de Cézanne. Alors, c'est la révélation ; ou peut-être que, comme l'a écrit Borges, ce qui se passe est "l'*imminence* d'une révélation qui ne se produit *pas*". Dans un cas comme dans l'autre, l'expérience est singulière. Elle n'advient que pour un individu, même si elle advient un million de fois pour un million de personnes.

Mon expérience des musées est assez variée. Comme Rilke, j'ai visité des salons où des foules élégamment vêtues me distrayaient des tableaux. J'ai aussi visité des salons si vides que, selon la

formule de Macedonio Fernández, "s'il y avait
eu un absent de plus, on n'aurait pas su où le
mettre". J'ai visité des collections célèbres éten-
dues comme des entrepôts ou intimes comme
des boudoirs. J'ai vu des expositions organisées
comme des itinéraires pédagogiques, et des
expositions qui semblaient abandonnées à l'ordre
incertain du hasard. J'ai vu des expositions dont
le sujet m'empêchait de voir les objets, et d'autres
où les objets étaient en forte opposition avec le
sujet. Mais dans tous les cas que je peux me
rappeler, quoi qui fût exposé, l'impression res-
sentie du fait du musée – du salon, de la gale-
rie, de l'entrepôt, de la chambre, du lieu – était
distincte de celles que suscitaient les objets
exposés.

Mon premier souvenir d'un musée est celui
d'un *palazzo* vénitien que ma gouvernante m'a
emmené visiter lorsque j'avais cinq ans. Je me
souviens des grandes salles et des plafonds
élevés, de la lumière d'un gris doré qui baignait
la poussière dans les pièces, et de l'irrésistible
impression de me trouver dans une demeure
habitée par des ogres géants. Mais je me souviens aussi d'un grand tableau, une scène de
bataille, avec des hommes minuscules grouillant
telles des fourmis à bord d'un bateau sur une
mer d'un vert sombre, et les lignes entrecroisées
des rames. Et je me souviens de ce tableau
avec tous ses détails pleins de vie, comme s'ils
faisaient partie d'une extraordinaire histoire
d'aventure dont je n'aurais pas entendu le début
et dont j'allais manquer la fin. Le château des
ogres était un endroit que je visitais en compagnie de ma gouvernante et de petits groupes
de touristes qui nous suivaient de pièce en pièce.
Le tableau m'appartenait, à moi, bataille qu'à

dater de ce jour j'allais voir et revoir en rêve, et à laquelle j'étais seul à avoir accès.

Chaque échange d'idées, chaque conversation, chaque lecture, chaque vision d'un tableau, d'une pièce de théâtre ou d'un film, chaque contemplation d'un coucher de soleil ou d'un visage remarquable, chaque écoute d'un concert ou du chant des oiseaux, chaque observation – qu'il y soit répondu ou non –, chaque découverte, chaque intuition, chaque révélation, chaque épiphanie, chaque instant de grâce se passe en un lieu que définissent, dans ce monde qui est le nôtre, des volumes d'histoire et des atlas de géographie. Entendre Mozart à Carnegie Hall ou sur le seuil d'un camp de concentration, ce sont deux expériences différentes, deux entités différentes, aussi différentes que le Ciel et l'Enfer. Le voyageur qui arrive à l'une ou à l'autre destination, quelles que soient les circonstances de son voyage, et quel que soit le nombre des autres voyageurs qui y sont arrivés avant lui, arrive seul.

La société paraît extraordinairement acharnée à proclamer ses intentions quant à ses activités, comme si nous, créatures sociales, étions incapables de comprendre ces activités sans leur donner un nom. Très souvent, ces proclamations consistent à avertir (comme dans les sociétés totalitaires) que la voix officielle ne souffrira aucune contradiction ; parfois aussi, elles sont pareilles à des écrans de fumée (comme dans nos sociétés soi-disant démocratiques) servant à dissimuler les véritables activités ou intentions du pouvoir. Parfois encore, très rarement, ces proclamations disent vrai. Les musées, en tant que constructions sociales, sont régulièrement l'objet de tels étiquetages, et les expositions semblent soumises de façon constante et même croissante à l'influence de cette frénésie d'auto-définition. Pour moi, je ne vois rien à reprocher à cette activité, du moment que nous la reconnaissons pour ce qu'elle est : non pas une véritable définition, mais un simple intitulé. Je peux organiser une exposition d'art nègre et l'intituler "Au cœur de l'Afrique", comme l'a fait le Royal Ontario Museum à Toronto, en m'efforçant par là de réaliser un survol critique de la présence coloniale missionnaire sur ce continent ; ou je peux boycotter une exposition d'art nègre intitulée "Au cœur de l'Afrique", comme l'a fait l'Association afro-américaine de Toronto, en m'efforçant par là de réaliser un survol critique de la présence coloniale missionnaire sur ce continent ; ces deux attitudes labellisent l'exposition ; ni l'une ni l'autre ne déterminent le rapport intime du spectateur avec chacune des œuvres d'art qui s'y trouvent exposées. Il est bien évident que plus l'intitulé est fort, plus le spectateur éprouvera de difficulté à abandonner l'arène sociale (à l'instar de Rilke) et à se tenir, seul, face à face avec l'œuvre d'art. Nous sommes faits d'histoire et de géographie, tout autant que les musées, et de tels intitulés font partie de cette histoire et de cette géographie, même si leur signification change selon la main qui les affiche sur l'exposition.

On dira que se dégager de ces intitulés n'est pas seulement une tâche difficile ; c'est une tâche impossible. On dira que l'histoire et la géographie ne sont pas seulement la substance dont nous sommes faits, mais aussi celle dont sont faites les œuvres d'art. On dira que les intitulés constituent des tentatives de lire dans l'œuvre cette histoire et cette géographie.

Mais telle n'a pas été mon expérience. Moi, qui suis conditionné par le temps et l'espace, je change dans le temps et dans l'espace. Je suis constamment un autre, celui qui va apparaître au tournant, celui qui attend dans la chambre voisine, celui qui, après-demain, regrettera ou approuvera ce que je fais aujourd'hui mais ne le répétera jamais. Je viens à une œuvre d'art avec mon bagage historique et géographique, mais le bagage que je transporte change sans cesse et me permet de voir dans l'œuvre quelque chose de différent presque à chaque fois. C'est pourquoi je me méfie des intitulés. Une œuvre d'art en soi ne porte pas de jugement.

Bien entendu, rien n'arrêtera la société dans sa frénésie labellisante. On éprouve un sentiment de sécurité, imaginaire ou non, à savoir que voici un musée d'Art moderne, un musée d'Artisanat indigène, un Musée nautique, un musée d'Histoire naturelle ou d'Histoire de la négritude ou de l'Holocauste. Et notre accoutumance à ces intitulés est telle que même leur absence ne nous empêcherait pas de les lire. Imaginez une exposition d'œuvres d'art diverses réunies sous un même toit, sans intitulé. Un visiteur verra là un art officiel qui n'ose pas dire son nom ; un autre, une mise en cause de cet art officiel. Et ainsi de suite. Notre cas est désespéré.

Ou peut-être pas tout à fait. Le mot musée, ainsi que nous le rappellent nos dictionnaires, vient du grec *mouseîon* qui signifie "siège des muses". C'est là que les neuf femmes poursuivent leur antique activité, la traduction de l'univers en signes déchiffrables, dont chacun porte notre nom secret et un avertissement personnel. Nous pouvons, en tant que société, décriant la notion de privilège, décider de ne plus leur offrir de toit, choisir de nous débarrasser des musées. Cela n'aurait guère d'importance, à mon avis. Les muses se réuniraient ailleurs et de la forêt d'Ardenne feraient leur salon.

C'est là que nous irons à la recherche des miroirs d'Oscar Wilde ou, tel Encolpe, voir ces dieux et déesses qui souffrent comme nous, ou connaître peut-être ce miracle privé qu'espérait Rilke. En gardant à l'esprit, bien sûr, la mise en garde de celui-ci. Il se peut que nous soit accordé l'instant de grâce, mais notre réaction doit être en harmonie. Dans un sonnet célèbre où il décrit un torse archaïque d'Apollon, Rilke le spectateur arrive à cette conclusion inexorable : "Il faut changer ta vie."

C'est, je crois, l'unique condition.

# ŒUFS DE DRAGON
# ET PLUMES DE PHÉNIX

*Là où il n'y a pas de loi, il n'y a
pas non plus de transgression.*

Epître de saint Paul
aux Romains, IV, 15.

## 1. Assembler

NOUS SOMMES des créatures d'ordre. Nous
nous méfions du chaos. Les expériences
nous adviennent en dehors de tout système reconnaissable, de toute raison intelligible,
avec une générosité aveugle et insouciante. Et
pourtant, contre toute évidence, nous croyons
à la loi et à l'ordre. Anxieux, nous rangeons tout
dans des dossiers, dans des compartiments,
dans des sections distinctes ; fiévreux, nous dis-
tribuons, classifions, étiquetons. Nous savons
que cette chose que nous appelons le monde
n'a ni commencement significatif ni fin compréhensible, qu'elle n'a pas d'intention perceptible,
pas de méthode dans sa folie. Mais nous insistons :
il doit avoir un sens, il doit signifier quelque
chose. Alors nous divisons l'espace en régions
et le temps en périodes, et nous ne manquons
jamais de nous étonner quand l'espace refuse
de s'en tenir aux limites raisonnables de nos
atlas et quand le temps déborde des dates qui

se succèdent sagement dans nos livres d'histoire. Nous faisons collection d'objets et construisons pour eux des maisons, avec l'espoir que la maison donnera à son contenu cohérence et signification. Nous refusons d'accepter l'ambiguïté inhérente à tout objet (ou collection d'objets) qui charme notre attention en disant, telle la voix dans le buisson ardent : "Je suis ce que je suis." "Bon, ajoutons-nous, mais tu es aussi un buisson épineux, *Prunus spinosa*", et nous lui faisons une place sur l'étagère.

Bien entendu, nul objet n'est tenu d'occuper exclusivement une seule étagère. Par exemple, dans une nouvelle de G. K. Chesterton, le père Brown est chargé d'élucider la mort mystérieuse d'un lord écossais. Les seuls indices découverts dans le château en ruine du lord constituent une étrange collection. Premier article : un lot considérable de pierres précieuses dépourvues de monture. Apparemment, le lord gardait ses pierres en vrac dans ses poches, comme de la menue monnaie. Deuxième article : des tas et des tas de tabac à priser, non pas dans un pot ni dans une blague, mais traînant sur le manteau de la cheminée ou sur le piano. Troisième article : des rouages minuscules et de petits ressorts de métal, comme si quelqu'un avait démonté un jouet mécanique et en avait laissé les pièces éparpillées çà et là. Quatrième article : une quantité de bougies de cire mais pas un seul chandelier. Quelqu'un dit qu'il est impossible à l'esprit humain, si souple soit-il, de découvrir un lien quelconque entre du tabac à priser, des diamants, des bougies et des rouages de montre.

Mais le père Brown croit apercevoir ce lien. Le défunt lord détestait la Révolution française et s'efforçait de vivre à la façon des anciens

Bourbons. Il avait du tabac à priser car c'était un luxe du XVIIIe siècle ; des bougies car c'était ainsi qu'on s'éclairait au XVIIIe siècle ; des bouts de ferraille car ils rappelaient le goût du roi Louis XVI pour la serrurerie ; des diamants, car ils évoquaient le collier de Marie-Antoinette.

"Quelle idée extraordinaire ! cria Flambeau. Croyez-vous réellement que ce soit vrai ?

— Je suis persuadé que c'est faux, répondit le père Brown. Seulement vous venez de dire que personne ne pourrait découvrir un rapport entre du tabac, des diamants, les fragments d'une mécanique et des bougies. Je vous en ai donné un au hasard. Je suis convaincu que la vérité gît ailleurs*."

Il suggère alors que le défunt lord menait une double vie, que c'était un voleur. Il s'éclairait à la bougie dans les maisons qu'il cambriolait ; il utilisait le tabac à priser, à l'instar des pires criminels, pour en jeter aux yeux de ses poursuivants ; les diamants et les petites roues lui servaient à couper les vitres. L'inspecteur interroge :

"Sont-ce là les seules données qui vous font croire à cette explication ?

— Je n'y crois pas, répondit le prêtre placidement ; mais vous me disiez tantôt que personne ne pourrait découvrir de rapport entre ces quatre objets."

Il pourrait y avoir une explication plus simple, reprend le père Brown. Le défunt a découvert les diamants dans son domaine et a gardé le secret sur sa trouvaille. Les roues servaient à tailler les pierres. Le tabac servait à acheter la bonne

* Les citations de *La Clairvoyance du père Brown* sont extraites de la traduction d'Emile Cammaerts, Perrin & Cie, Paris, 1926.

volonté des paysans afin qu'ils explorent les
cavernes à la lumière des bougies.

> "Est-ce tout ? demanda Flambeau, après un long
> silence. N'avons-nous tant réfléchi que pour
> aboutir à cette stupide solution ?
> — Oh non, répondit le père Brown. [...] Je
> n'ai suggéré cela que parce que vous prétendiez
> qu'il était impossible de rattacher du tabac à un
> mouvement d'horloge et des bougies à des
> pierres brillantes. Dix philosophies, plus fausses
> les unes que les autres, peuvent s'adapter au
> même univers."

Et dix systèmes faux inventeront un ordre à
notre monde.

L'étrange construction connue sous le nom
de musée est, avant tout, un lieu d'ordre, d'espace organisé, de séries prédéterminées. Même
un musée qui abrite une collection d'objets apparemment hétéroclites réunis, pourrait-on penser,
sans intention précise, sera défini (ainsi que je
l'ai dit précédemment) par un intitulé extérieur
à l'identité particulière de chacun des objets :
l'identité du collectionneur, par exemple. Le
premier musée universitaire – le premier musée
construit dans le but d'étudier un groupement
d'objets déterminé – fut l'Ashmolean Museum,
à Oxford, fondé en 1683. Le cœur en était constitué par une collection d'objets étranges et merveilleux amassés par deux John Tradescant, le
père et le fils, au cours du siècle précédent, et
envoyés de Londres à Oxford à bord d'une barge.
Au nombre de ces trésors se trouvaient :

> Un gilet babylonien.
> Des œufs de diverses espèces provenant de
> Turquie ; l'un donné pour un œuf de Dragon.
> Des œufs de Pâques des Patriarches de Jéru-
> salem.

Deux plumes de la queue du Phénix.

La griffe de l'oiseau Roc : qui, selon les Auteurs, est capable d'emporter un Eléphant.

Le Dodo de l'île Maurice ; il ne peut voler, vu sa grosseur.

Des têtes de lièvres, avec des cornes grossières longues de trois pouces.

Un poisson-crapaud, et un autre bardé de piquants.

Divers sujets taillés sur des noyaux de prune.

Une balle d'airain pour réchauffer les mains des Nonnes.

Pas plus que le tabac à priser et les bougies, les diamants et les rouages d'horloge, une plume de phénix et une balle pour réchauffer les mains des nonnes n'ont grand-chose en commun. Pourtant, ce qui fait l'unité de cette liste extraordinaire, c'est la fascination qu'exercèrent ces objets, il y a trois siècles, sur l'esprit et le cœur des deux John Tradescant. Que ces objets fussent le témoin de la cupidité ou de la curiosité des Tradescant, un reflet de leur vision du monde ou de la carte obscure de leurs âmes, ceux qui visitaient l'Ashmolean à la fin du XVIIe siècle entraient dans un espace ordonné, peut-on dire, par la passion dominante des Tradescant.

J'ai dit que nous sommes des créatures d'ordre, que nous recherchons l'ordre. Nous savons, néanmoins, qu'aucun ordre n'est innocent, pas même celui d'une passion personnelle. Tout système catégoriel imposé à des objets, à des gens ou à des idées doit être tenu pour suspect puisque, nécessairement, il imprègne de sens ces idées, ces gens ou ces objets. Les bougies et les rouages de montres de l'histoire du père Brown prennent la couleur ironique de son énumération ; le gilet babylonien et les œufs de Pâques de l'Ashmolean formulent une conception de la propriété privée courante au XVIIᵉ siècle.

Une brève chronologie de certaines de ces forces organisatrices pourrait ici se révéler utile.

En Europe, on peut faire remonter à la fin du XVᵉ siècle l'habitude d'exposer aux yeux du public ses passions personnelles. A une époque où les souverains avaient commencé à amasser quelques-unes des plus importantes collections d'art – à Vienne, au Vatican, à l'Escurial (en Espagne), à Florence et à Versailles –, des collections plus petites et plus personnelles étaient aussi constituées. L'une d'elles est celle d'Isabelle d'Este, épouse du marquis de Mantoue, qui, au lieu d'acheter des œuvres d'art pour des raisons religieuses ou dans le but de meubler une maison, commença à les collectionner pour elles-mêmes. Jusqu'alors, les riches acquéraient des œuvres d'art afin de conférer beauté ou prestige à un espace. Isabelle, au contraire, réserva un espace qui servirait de cadre à certaines œuvres rassemblées. Dans son *camerino* – une "chambre" qui allait devenir célèbre dans l'histoire de l'art comme l'un des premiers musées privés –, Isabelle exposait des "tableaux avec une histoire" peints par les meilleurs artistes contemporains. Elle avait l'œil : elle chargea son agent d'approcher Mantegna, Giovanni Bellini, Léonard de Vinci, le Pérugin, Giorgione, Raphaël et Michel-Ange. Plusieurs d'entre eux s'exécutèrent.

Un siècle plus tard, la passion de collectionner envahit non seulement les demeures des riches aristocrates, mais aussi celles de la bourgeoisie, et l'ordre qui régnait sur de telles collections reproduisait dans une large mesure celui qui était propre au statut social, qu'il relevât des moyens financiers ou de la culture. Ce que Bacon a qualifié de "modèle de la nature universelle ramené au plan privé", on pouvait le voir dans les salons de bien des avocats et médecins. Parfois, quand les fonds manquaient, ces collectionneurs avaient recours à des procédés ingénieux. En 1620, l'érudit Cassiano dal Pozzo assembla, dans sa maison de Rome, non pas les œuvres d'art originales, les modèles authentiques d'édifices célèbres, les spécimens d'histoire naturelle recherchés par ses pairs plus fortunés, mais des dessins, commandés à des dessinateurs professionnels, de toutes sortes d'objets, de créatures et d'antiquités étranges. Il appela cette collection son "musée de papier". Là aussi, comme dans le *camerino* d'Isabelle et dans la collection des Tradescant, le dessein dominant, l'ordre imposé, était personnel, *Gestalt* née d'une histoire personnelle – avec une caractéristique supplémentaire : les objets eux-mêmes n'avaient plus à être les "vrais". Ils pouvaient désormais être remplacés par leurs représentations, voire leurs fictions. Et comme ces "reproductions" coûtaient beaucoup moins cher et qu'il était beaucoup plus facile de se les procurer que les originaux, le "musée de papier" suggérait que les très riches n'étaient plus seuls à pouvoir devenir collectionneurs – propriétaires, pour ainsi dire, des dépouilles de l'histoire.

En France, en tout cas jusqu'à la Révolution, on tenait pour acquis que l'Histoire était la prérogative d'une seule classe. Quand, en 1792, dans le flot du changement social, on fit du Louvre un musée pour le peuple, le vicomte romancier François René de Chateaubriand, en une protestation hautaine contre l'idée d'un passé commun, déclara que les œuvres d'art ainsi assemblées n'avaient plus rien à dire, ni à l'imagination ni au cœur. Quelques années plus tard, quand l'artiste et antiquaire Alexandre Lenoir fonda le musée des Monuments français afin de sauvegarder les statues et sculptures des châteaux, monastères, palais et églises pillés par la Révolution, Chateaubriand évoqua sur un ton sans appel cette collection de ruines et de tombeaux de tous les siècles, assemblés "sans rime ni raison" dans le cloître des Petits-Augustins.

Dans le monde des collectionneurs tant officiels que privés, on demeura sourd aux critiques de Chateaubriand. Après la Révolution, la collection d'objets anciens cessa d'être un divertissement réservé à l'aristocratie et devint un passe-temps bourgeois, d'abord sous Napoléon, grand amateur des fastes de la Rome antique, et puis sous la République. Au début du XIXᵉ siècle, l'étalage d'un bric-à-brac suranné, de tableaux de vieux maîtres et de livres anciens était devenu un violon d'Ingres à la mode dans les classes moyennes. Les brocantes prospéraient. Les antiquaires se constituaient des réserves secrètes de trésors prérévolutionnaires que les *nouveaux riches**  achetaient pour les exposer dans leurs musées privés. Dans ces demeures bourgeoises du XIXᵉ siècle, l'art et la beauté dénotaient les loisirs ; l'utile, on le laissait aux ouvriers. "Vivre ? demandait l'aristocratique Villiers de L'Isle-Adam. Les serviteurs feront cela pour nous." Dans un tel esprit, le musée devint un espace utopique, la manifestation explicite d'une philosophie de classe.

Un nouveau changement advint dans la première moitié de notre siècle, quand le musée se transforma en marché. Dans le monde entier,

---

* En français dans le texte. *(N.d.T.)*

mais surtout en Amérique du Nord, où les collections étaient considérées comme des symboles du statut public, les musées se multiplièrent comme des champignons. Ces nouveaux musées avaient pour mission de répondre à trois craintes distinctes et croissantes ressenties par les nouveaux collectionneurs, qui opéraient dans le cadre d'une société mercantile et à l'ombre de deux guerres mondiales : crainte de la perte, crainte de la détérioration et crainte de l'excès. La première faisait souhaiter un bâtiment qui éviterait la dispersion de la collection, puisqu'on estimait que la valeur était cumulative. La seconde impliquait des précautions capables de protéger la collection des dommages du temps ainsi que des vols. La troisième exigeait un espace permettant à la collection de s'accroître – possibilités de stockage et de rotation. Et, parce que la concurrence était féroce, on fixa des codes extérieurs au code esthétique afin de déterminer ce qui était œuvre d'art et ce qui n'était qu'artefact, ce qui était prestigieux et donc précieux, et ce qui n'était que douteuse attraction de foire. Soudain, le musée lui-même endossait le rôle du critique et le seul fait d'exposer une chose dans un musée en définissait la nature. Le musée se flattait désormais d'offrir une présentation "réelle" de l'objet exposé : c'est-à-dire l'objet dans ses trois dimensions (même en tant que reproduction, comme dans le "musée de papier") et non plus sous la forme d'une description ni d'une glose. Cette réalité restait, bien entendu, invérifiable, mais on l'acceptait comme un acte de foi. L'interdiction de toucher plaçait littéralement l'objet sur un piédestal et l'élevait à la qualité de spécimen précieux et, du seul fait de l'avoir placé

sur un trône, lui conférait une sorte d'aristocratie.

Le caractère arbitraire de ce processus fut très
nettement identifié par Marcel Duchamp qui,
dès 1914, exposa une roue de bicyclette sous
l'intitulé : *Roue de bicyclette*. Selon Duchamp, l'intitulé et le lieu où l'objet était exposé lui attri-
buaient sur un mode ironique le statut le plus
élevé. Par ce seul geste, Duchamp s'appropriait
le rôle du musée en tant que critique définissant l'œuvre d'art et incorporait la critique dans
la création même.

## 2. Dissocier

Mais tous ces ordres, tous ces systèmes, toutes
ces méthodes d'association et d'arrangement
des objets dans un espace donné, toutes ces
grammaires différentes qui structurent les éléments d'une collection en fonction d'une certaine gradation et avec une certaine signification
avaient besoin de leur contrepartie, de leur
miroir, de leur récepteur – de leur lecteur. Avec
la création des musées publics naquit par nécessité une nouvelle invention, le public. Et avec
lui surgit la question de l'accès.

Lorsqu'une collection privée, personnelle et
secrète devient publique, ou lorsqu'une certaine
autorité décide d'ouvrir les portes d'un musée
public, chacune des pièces de la collection perd
momentanément son identité singulière en tant
qu'œuvre d'art ou vestige archéologique, spécimen d'histoire naturelle ou échantillon de n'importe quelle activité humaine, pour former une
assemblée plus vaste que (et différente de) chacune de ses parties. Ensemble, elles deviennent

la *définition* d'une catégorie ou d'un concept spécifique : "Art moderne" ou "Culture préhistorique", "L'art du café" ou "Histoire militaire", "La vie de Dickens" ou "Tradition juive". Dans l'enceinte de la Winnipeg Art Gallery, un tableau de Joyce Wieland n'est plus ce qu'il était au sortir des mains de l'artiste, ni ce qu'il aurait pu devenir dans le salon d'un émir mais, par exemple, un échantillon de l'art canadien du XXe siècle. Dans l'enceinte du Calgary Glenbow Museum, une couverture *blackfoot* n'est pas un bel objet tissé dans le but de réchauffer quelqu'un, mais une trace d'un passé indigène codifié (pour certains) ou une accusation d'appropriation impérialiste (pour d'autres). Le lieu définit ce qu'il contient en termes à la fois spécifiques et généraux, avec un intitulé global – un intitulé conçu pour être perçu "démocratiquement" par cet autre invention collective qu'est le public.

Et pourtant, quand le public accède aux objets variés qui ont été amalgamés sous un même toit, un paradoxe naît. Pour qu'il perçoive la collection par-delà l'intitulé général que constitue le nom du musée, il faut que le public *dissocie* chaque pièce de l'ensemble, qu'il la voie hors contexte, qu'il lui restitue son individualité. C'est particulièrement vrai dans le cas des œuvres d'art ; pour pouvoir "lire" un objet, il faut se détourner des étiquettes explicatives, refuser l'aide des notes historiques et géographiques fournies par les organisateurs, oublier les critiques, le catalogue et les comptes rendus, et se tenir face à l'œuvre prêt à *ne pas* tout comprendre, dans cet état de semi-compréhension qui est celui de la réaction esthétique ou de l'émotion, recréant, autant que faire se peut, le mystère de la création.

Pour cela, paradoxalement, il faut faire un pas de plus. Le "public" inventé à grand-peine, ce peuple auquel les mouvements populistes, telle la Révolution française, s'employaient à donner accès à l'art, la foule en troupeaux dont tout gouvernement a besoin afin de justifier son existence doit à son tour se dissoudre. Les groupes, les guides et les visites organisées qui mènent leurs ouailles dans le labyrinthe d'un musée, tout cela est très bien – superficiellement. Leur activité relève du tourisme, non du regard ; de la propagande culturelle, non du savoir ; d'un attachement commun aux conventions d'une classe ou d'un âge, rarement d'une épiphanie. Pour voir, le public doit redevenir individuel, reconnaître et contester la vision officielle ; celui qui veut voir doit se tenir seul devant une création isolée, et nommer pour lui-même ce qui lui touche l'âme. La notion entière sur laquelle est fondée l'idée de musée – une exposition collective destinée à un public collectif – doit être sapée, chassée, détruite pour que l'expérience que constitue la visite d'un musée ait un sens qui transcende le simple tourisme. Pour qu'un musée devienne le lieu d'une révélation, l'idée même de musée doit être contestée.

Par exemple, les musées devraient peut-être, grâce à une architecture peu familière, favoriser leur propre discrédit. En dépit de leurs intentions autocratiques, les immenses bâtisses du XIX$^e$ siècle, palais impressionnants qui disaient à leurs visiteurs : "Vous pénétrez dans un temple, un lieu plus grandiose que n'importe laquelle de vos maisons", avaient raison en ceci : par le caractère inamical, voire intimidant, de l'espace qu'elles offraient, elles donnaient au spectateur la possibilité de ne pas considérer ce qu'il voyait comme allant de soi mais de reconnaître que l'importance présumée des objets n'était que présumée, en effet, et que, avec ses marbres et ses cadres dorés, la voix de l'autorité avait étouffé celle de l'émotion. C'est à cause de l'autoritarisme manifeste de l'architecture du Louvre que Duchamp, dans ses vieux jours, disait n'y être plus entré depuis plus de vingt ans parce que ses collections étaient arbitraires, et arbitraire aussi la valeur qu'on leur attribuait ; que toutes sortes d'autres tableaux pourraient remplacer ceux qui se trouvaient accrochés à ses murs vénérables et qu'il ne voulait pas, par sa présence, prêter de validité au choix officiel.

Quoi qu'il en soit, pour ceux des visiteurs qui sont capables de faire la différence entre le contenant et son contenu, entre la collection et chacun des tableaux assemblés, entre l'espace uniformisant et le désir uniformisé, une visite du Louvre peut constituer un voyage personnel et une définition de soi, et le rapport qui s'établit entre un visiteur en particulier et un tableau en particulier peut être celui de Robinson Crusoé avec l'île déserte qu'il doit subir et pourtant habiter – avec tous ses mystères, ses dangers, ses difficultés, ses inépuisables merveilles.

Dans son roman *Beloved*, Toni Morrison écrit : "Arriver quelque part où l'on pouvait aimer tout ce que l'on voulait – ne pas avoir besoin d'autorisation pour désirer –, eh bien, *ça,* c'était la liberté*." Les musées peuvent être de tels endroits, et pourtant ils ne peuvent exister sans

* Trad. Hortense Chabrier et Sylviane Rué, Bourgois, 1998.

une structure, sans une disposition ordonnée. Parce qu'il est dans la nature de n'importe quelle exposition que sa disposition, voulue ou non, explicite ou non, nous permette, à nous qui y venons, le public, d'y lire un ordre préétabli, d'y voir une version "bien rangée" de l'original, de manière à y rendre notre itinéraire intelligible. Mais en même temps, pour jouir de la liberté nécessaire au dépassement de la lecture "étiquetée" d'une œuvre d'art, quelle qu'elle soit, et à l'expérience esthétique qui se trouve toujours et nécessairement aux confins de la conscience, il nous faut déranger l'ordre que nous devinons, l'affronter, le contester. Pour enfreindre des règles, il nous faut des règles, et, celles-ci, un musée nous les procure. Le caractère quelque peu intimidant de l'espace dans un musée, les hiérarchies implicites entre les objets exposés et les différents degrés de difficulté d'accès aux collections sont des éléments essentiels d'une expérience esthétique fructueuse. Ce n'est pas le musée mais le public qui doit être accessible à l'émerveillement ; chaque visiteur doit revendiquer pour lui-même un œuf de dragon ou une plume du phénix. Et le public doit se rendre accessible, non en tant que masse uniforme et idéalisée, mais en tant que collection hétérogène d'individus apportant dans les salles étiquetées d'un musée leurs désirs spécifiques et une variété de conceptions d'une saine anarchie. Parce que, ainsi que nous le savons tous, le désir n'est pas une force collective mais une chose essentiellement intime, un sens personnel, comparable au goût ou à l'ouïe, grâce auquel explorer l'univers.

Sur la façade datant de 1937 du musée de l'Homme, à Paris, sont gravés ces vers de Paul

Valéry, *mot de passe* pour toute personne se tenant aux portes du musée et en demandant l'accès :

> Il dépend de celui qui passe
> Que je sois tombe ou trésor
> Que je parle ou me taise.
> Ceci ne tient qu'à toi
> Ami n'entre pas sans désir.

# VII

## CRIME ET CHÂTIMENT

"Il y a l'affaire du messager du roi.
Il est actuellement en prison,
sous le coup d'une condamnation ;
et le procès ne doit pas commencer
avant mercredi prochain ;
quant au crime, bien sûr, il n'interviendra
qu'après tout le reste."
"Et s'il se trouvait qu'il ne commît jamais son crime ?"
dit Alice.
"Alors cela n'en irait que mieux, n'est-il pas vrai ?"
répondit la reine.

*De l'autre côté du miroir*, chapitre v

## IN MEMORIAM

> *"J'étudiais les classiques sous la
> férule d'un maître qui n'était
> autre qu'un vieux cancre.*
> *— Je n'ai jamais suivi ses
> cours, dit la tortue «fantaisie» dans
> un soupir. Il enseignait, disait-on,
> le patin et le break.*
> *— C'est bien vrai, c'est bien
> vrai", confirma le griffon, en pous-
> sant, à son tour, un soupir ; et les
> deux créatures se cachèrent la tête
> entre les pattes.*
>
> Alice au pays des merveilles,
> chapitre IX.

PAR OÙ COMMENCER ?
Tous les dimanches, de 1963 à 1967, j'ai
déjeuné non chez mes parents mais chez
la romancière Marta Lynch. Elle était la mère
d'un de mes condisciples, Enrique, et habitait,
dans un faubourg résidentiel de Buenos Aires,
une grande villa au toit de tuiles rouges avec
un jardin plein de fleurs. Enrique avait découvert que je voulais devenir écrivain et m'avait
proposé de montrer à sa mère quelques-uns de
mes récits. J'avais accepté. Une semaine plus tard,
Enrique me tendait une lettre. Je me souviens
du papier bleu, de la dactylographie irrégulière,
de la grande signature disgracieuse mais, surtout,

je me souviens de la générosité débordante de ces quelques pages et de l'avertissement qui les terminait : "Mon fils, écrivait-elle, félicitations. Et vous ne pouvez savoir comme je vous plains." Une seule autre personne, un professeur d'espagnol à l'école, m'avait dit que la littérature pouvait avoir tant d'importance. A la lettre était jointe une invitation à déjeuner le dimanche suivant. J'avais quinze ans.

Je n'avais pas lu le premier roman de Marta, un récit semi-autobiographique de sa liaison politique et amoureuse avec l'un des rares présidents civils venus au pouvoir après la destitution de Perón. Le livre avait gagné un prix littéraire important et procuré à son auteur le genre de célébrité qui incitait les journalistes à lui téléphoner pour lui demander son avis sur la guerre du Viêtnam ou la longueur des jupes d'été, et son large visage sensuel, auquel de grands yeux qui semblaient toujours à demi clos donnaient un air rêveur, apparaissait régulièrement dans les magazines et les journaux.

Donc, tous les dimanches avant le déjeuner, Marta et moi nous asseyions sur un vaste canapé fleuri et, d'une voix asthmatique dont j'attribuais l'essoufflement à l'émotion, elle me parlait de livres. Après le repas, Enrique, moi et quelques autres – Ricky, Estela, Tulio –, assis autour d'une table dans le grenier, nous discutions politique, avec en bruit de fond les plaintes des Rolling Stones. Ricky était mon meilleur ami, mais c'était Enrique que nous enviions car il avait une petite amie régulière, Estela, qui avait alors douze ou treize ans, et qu'il a fini par épouser.

Je me suis aperçu qu'au Canada, où je réside à présent, l'idée d'un groupe d'adolescents en train de discuter politique avec conviction est quasiment inconcevable. Mais, pour nous, la politique faisait partie de la vie quotidienne. En 1955, mon père avait été arrêté par le gouvernement militaire qui avait renversé Perón et, de coup d'Etat en coup d'Etat, nous nous étions habitués à voir des tanks rouler dans les rues où nous marchions pour nous rendre à l'école. Les présidents se succédaient, les directeurs étaient remplacés en fonction de l'intérêt des partis, et lorsque nous avions atteint l'âge du lycée les caprices de la politique nous avaient appris que le sujet intitulé "éducation civique" – un cours obligatoire sur le système démocratique – était une amusante fiction.

Le lycée que nous fréquentions, Enrique et moi, était le Colegio nacional de Buenos Aires. L'année où nous y sommes entrés, 1961, un génie du ministère de l'Education avait décidé qu'un plan pilote y serait testé. Les cours, au lieu d'être confiés à de simples professeurs de lycée, seraient aux mains de professeurs d'université, dont beaucoup étaient écrivains, romanciers ou poètes, ainsi que critiques et journalistes d'art. Ces maîtres avaient le droit (à vrai dire, on les y encourageait) de nous enseigner des aspects très spécialisés de leurs domaines. Cela ne signifiait pas pour nous l'autorisation de négliger les généralités ; cela signifiait que, outre l'acquisition d'une culture générale en, disons, littérature espagnole, nous passions une année entière à étudier à fond un seul livre, *La Célestine* ou *Don Quichotte*. Nous avions beaucoup de chance : on nous donnait l'information essentielle tout en nous apprenant à réfléchir aux détails, méthode que nous avons pu appliquer ensuite à l'ensemble du monde comme à notre malheureux pays. Les discussions politiques

étaient inévitables. Aucun d'entre nous ne pensait que l'étude s'achevait à la fin d'un manuel
scolaire.

J'ai dit qu'avant les encouragements de Marta
Lynch quelqu'un d'autre m'avait averti que la
littérature est une affaire sérieuse. Nos parents
nous avaient expliqué que les entreprises artistiques ne constituaient pas des occupations
réellement valables. Le sport était bon pour le
corps, et un peu de lecture pouvait donner un
vernis agréable, mais les vrais sujets étaient les
mathématiques, la physique, la chimie, et une
pointe d'histoire et de géographie. L'espagnol
était amalgamé avec la musique et les arts plas-
tiques. A cause de mon amour pour les livres
(que je collectionnais avec une passion d'avare),
j'éprouvais la honte et le sentiment de culpabilité de quelqu'un qui est amoureux d'un monstre.
Ricky, qui acceptait mes incongruités avec la
magnanimité d'un ami véritable, m'offrait toujours des livres pour mon anniversaire. Et puis,
le premier jour de notre deuxième année au
lycée, un nouveau professeur est entré dans la
classe.

Je l'appellerai Rivadavia. Il entra, nous salua
à peine, ne nous expliqua pas ce que serait son
cours ni ce qu'il attendait de nous et, ouvrant
un livre, se mit à lire quelque chose qui commençait ainsi : "Devant la porte se tient un portier en faction. Un homme du pays… Mais le
portier dit qu'il ne peut pas laisser entrer l'homme
à ce moment…" Nous n'avions jamais entendu
parler de Kafka, nous ne savions rien des para-
boles mais, cet après-midi-là, les digues de la
littérature furent ouvertes devant nous. Ceci
n'avait rien à voir avec les ternes morceaux classiques que nous avions dû étudier dans nos

livres de lecture en cinquième et en sixième année primaires ; c'était mystérieux et riche, et cela touchait à des choses si personnelles que nous n'aurions jamais admis qu'elles nous concernaient. Rivadavia nous lut Kafka, Cortázar, Rimbaud, Quevedo, Akutagawa ; nous parla de ce dont les nouveaux critiques rendaient compte, et nous cita Walter Benjamin, Merleau-Ponty et Maurice Blanchot ; il nous encouragea à voir *Tom Jones*, pourtant interdit aux mineurs ; nous raconta qu'il avait entendu Lorca réciter ses propres poèmes un soir à Buenos Aires, "d'une voix pleine de grenades". Mais, avant tout, il nous a appris à lire. Je ne sais pas si nous avons tous appris, sans doute pas, mais écouter Rivadavia nous guider au travers d'un texte, au travers des relations entre mots et souvenirs, entre idées et expériences, a constitué pour moi un encouragement à une vie entière de passion pour la page imprimée dont je n'ai jamais réussi à me désintoxiquer. Ma façon de penser, ma façon de sentir, l'individu que j'étais dans le monde et cet autre individu, plus sombre, que j'étais, seul avec moi-même, sont nés en majeure partie de ce premier après-midi où Rivadavia a fait la lecture à ma classe.

Et puis, le 28 juin 1966, un coup d'Etat militaire dirigé par le général Juan Carlos Onganía renversa le gouvernement civil. L'armée et des tanks encerclèrent le palais gouvernemental, à quelques pâtés de maison à peine de notre école, et le président Arturo Illia, vieux et fragile (les dessinateurs le représentaient sous la forme d'une tortue), fut chassé à coups de pied dans les rues. Enrique insista pour que nous organisions une protestation. Plusieurs dizaines d'entre nous se plantèrent sur les marches de l'école en chantant des slogans et en refusant d'aller en classe. Il y eut des échauffourées. L'un de nos amis eut le nez cassé dans une bagarre contre un groupe pro-militaire.

Pendant ce temps, les réunions chez Enrique continuaient. Le jeune frère d'Estela se joignait parfois à nous, d'autres fois Ricky et Enrique se retrouvaient seuls. Mon intérêt diminuait. Certains dimanches, je partais après le déjeuner sous quelque prétexte embarrassé. Marta Lynch publia plusieurs autres romans. Elle était désormais l'un des auteurs les plus vendus en Argentine (ce qui ne signifie pas qu'elle gagnait de l'argent) et elle aspirait à être reconnue à l'étranger, aux Etats-Unis, en France. Elle ne le fut jamais.

Après avoir obtenu mon diplôme de fin d'études, j'ai passé quelques mois à étudier la littérature à l'université de Buenos Aires, mais le rythme pesant et les lectures sans imagination m'ennuyaient à mourir. Je soupçonne que Rivadavia et les critiques qu'il nous avait fait connaître avaient gâché pour moi le plaisir d'un parcours simple : après m'être entendu raconter, avec la voix de tonnerre de Rivadavia, les aventures d'Ulysse à travers une nouvelle de Borges, *L'Immortel*, dans laquelle le narrateur est Homère, vivant d'âge en âge, il était devenu difficile d'écouter quelqu'un ronronner pendant des heures sur la question des problèmes textuels dans les premières traductions de l'*Odyssée*. Je suis parti pour l'Europe sur un bateau italien dans les premiers mois de 1968.

Pendant quatorze années, l'Argentine a été dépecée vive. Quiconque vivait en Argentine pendant ces années-là avait le choix entre deux options : combattre la dictature militaire ou la laisser s'épanouir. Mon choix fut celui d'un couard : je décidai de ne pas rentrer. Mon excuse (il n'y a pas d'excuse) est que je n'aurais pas su me servir d'une arme. Au cours de mes pérégrinations européennes, je continuai, bien sûr, à entendre parler des amis que j'avais laissés là-bas.

Mon école avait toujours été connue pour ses activités politiques, et au fil de l'histoire bien des politiciens argentins notoires étaient sortis de ces mêmes classes où je m'étais assis. Il semblait désormais que le gouvernement eût pris pour cible particulière non seulement l'école mais aussi mes condisciples. Des nouvelles les concernant m'arrivaient au goutte à goutte, mois après mois. Deux amis (l'un avait appris tout seul à jouer du hautbois et donnait des concerts impromptus dans sa chambre ; l'autre avait fait remarquer qu'écouter ces concerts était "plus ennuyeux que danser avec sa propre sœur") furent abattus devant une station-service à la sortie de Buenos Aires. Une amie, dont le nom semble aujourd'hui avoir disparu avec elle, si menue qu'elle ne paraissait guère plus de douze ans la dernière fois que je l'ai vue, fut, à seize ans, abattue dans une prison militaire. Le frère d'Estela, à quinze ans à peine, disparut un après-midi alors qu'il allait au cinéma. Son corps fut déposé dans un sac postal sur le seuil de ses parents, à peine reconnaissable tant il était mutilé. Enrique partit pour l'Espagne. Ricky s'enfuit au Brésil. Marta Lynch se suicida. Elle se tua d'une balle, dans sa cuisine, alors qu'un taxi attendait devant sa porte de la conduire pour une interview à une station de radio. Le mot qu'elle laissa disait simplement : "Je ne peux plus supporter tout ça."

Il y a quelques années, j'ai fait escale au Brésil. A Buenos Aires, l'un de mes frères avait rencontré la mère de Ricky et elle lui avait donné l'adresse de celui-ci à Rio, adresse que mon frère m'avait fait parvenir. Je l'appelai. Il était marié, il avait des enfants et il enseignait l'économie à l'université. Je m'efforçai de comprendre ce qui avait changé en lui, car il n'avait pas l'air plus âgé, juste différent. Je me rendis compte que tout ce qu'il faisait paraissait désormais ralenti – sa façon de parler, ses gestes, sa façon de se mouvoir. Une certaine mollesse l'avait envahi ; peu de choses semblaient l'émouvoir.

Il s'était installé au Brésil, sa femme, ses enfants étaient brésiliens, mais il se sentait encore en pays étranger. Il me raconta que certains exilés avaient formé ce qu'ils appelaient un "groupe de mémoire". Les groupes de mémoire, m'expliqua-t-il, étaient chargés de consigner les crimes politiques afin qu'on ne puisse rien oublier. Ils avaient des listes de noms de gens qui avaient pratiqué la torture, d'espions, d'informateurs. La commission chargée des *desaparecidos* en Argentine, créée en 1983 par le président Alfonsín dans le but d'enquêter sur le sort des milliers de personnes disparues pendant la dictature militaire, enregistra par la suite les témoignages des victimes survivantes. Les groupes de mémoire conservaient des listes des bourreaux, avec l'espoir qu'un jour justice serait faite. Je pense qu'une partie du découragement de Ricky était due au fait qu'il prévoyait l'issue des procès promis par Alfonsín : quelques condamnations, quelques réprimandes, puis l'amnistie générale proclamée en 1991 par le nouveau président, Carlos Menem.

Je lui dis combien il m'avait paru extraordinaire que nos amis, notre école, eussent été la cible du gouvernement. Ricky m'expliqua que les militaires étaient tributaires d'informateurs. Qu'il s'en trouvait, dans l'école, pour fournir aux bourreaux des détails sur nos activités, avec noms, adresses et descriptions de caractères. Je reconnus qu'il y avait eu des gens qui avaient toujours soutenu publiquement les militaires, mais j'ajoutai qu'il y avait loin entre l'agitation d'une bannière pro-militaire et une réelle colla- boration avec les bourreaux.

Ricky me dit en riant que je n'avais manifes- tement aucune idée de la façon dont se pas- saient ces choses-là. Les militaires ne pouvaient être tributaires d'une bande de gosses qui chantaient des trucs du genre "Patrie, Famille, Eglise". Il leur fallait des gens intelligents, pleins de ressources. Ricky m'apprit que son groupe détenait des preuves solides de ce que, plu- sieurs années durant, le professeur Rivadavia avait transmis au gouvernement militaire des renseignements détaillés sur nous – ses élèves. Non seulement des noms, mais des notations attentives sur nos sympathies et antipathies, notre milieu familial et nos activités scolaires. Il nous connaissait tous tellement bien.

Il y a quelques années que Ricky m'a appris cela, et je n'ai jamais cessé d'y penser. Je sais que Ricky ne se trompait pas. J'ai en tête trois options :

– Je peux décider que l'être qui a eu le plus d'importance dans ma vie, qui d'une certaine façon m'a permis de devenir ce que je suis aujourd'hui, qui me paraissait l'essence même du maître capable d'inspirer et d'illuminer, était en réalité un monstre et que tout ce qu'il m'a enseigné, tout ce qu'il m'a encouragé à aimer était corrompu.

– Je peux essayer de justifier ses actes injustifiables et ignorer le fait qu'ils ont entraîné la torture et la mort de mes amis.

– Je peux admettre que Rivadavia était à la fois le bon professeur *et* le collaborateur des bourreaux, et laisser cette description en rester là, tels l'eau et le feu.

Je ne sais pas laquelle de ces options est la bonne.

Avant de prendre congé, j'ai demandé à Ricky s'il savait ce qu'était devenu Rivadavia. Ricky a hoché la tête et m'a dit que Rivadavia avait quitté le collège et était entré dans une petite maison d'édition de Buenos Aires, et qu'il écrivait des comptes rendus de livres pour l'un des principaux quotidiens argentins.

Pour autant que je sache, il y est encore.

## LES ESPIONS DE DIEU

> *Il y a dans la nature humaine un remède contre la tyrannie, qui nous garde en sécurité sous toutes les formes de gouvernement.*

> SAMUEL JOHNSON,

> *... on comprendra tout, comme des espions de Dieu... Derrière les murs de notre cellule, on sera les seuls à survivre aux factions, aux cliques de puissants qui fluent et refluent avec la lune.*

> SHAKESPEARE, *Le Roi Lear*, V, 3.
> (Trad. Jacques Drillon,
> Actes Sud, 1998.)

NOTRE HISTOIRE EST L'HISTOIRE d'une longue nuit d'injustice : l'Allemagne d'Hitler, la Russie de Staline, l'Afrique du Sud de l'apartheid, la Roumanie de Ceauşescu, la Chine de la place Tianan men, l'Amérique de McCarthy, le Cuba de Castro, le Chili de Pinochet, le Paraguay de Stroessner et une infinité d'autres composent la carte de notre temps. Nous vivons, semble-t-il, soit au-dedans, soit juste en deçà de sociétés despotiques. Nous ne sommes jamais en sécurité, même dans nos petites démocraties. Quand on pense au peu qui a suffi pour amener d'intègres citoyens français à ricaner

devant des convois d'enfants juifs entassés dans
des camions, ou des Canadiens instruits à jeter
des pierres à des femmes et des vieillards à Oka,
on n'a pas le droit de se sentir en sécurité.

Les harnachements dont nous dotons notre
société afin qu'elle demeure une société doivent être solides, mais ils doivent aussi être
flexibles. Ce que nous excluons, proscrivons ou
condamnons doit demeurer visible, se trouver
toujours sous nos yeux de telle sorte que nous
puissions vivre en faisant le choix quotidien de
ne pas rompre ces liens sociaux. Les horreurs
de la dictature ne sont pas des horreurs inhu-
maines : elles sont profondément humaines
– et c'est là que réside leur pouvoir. Tout système de gouvernement fondé sur des lois arbitraires – extorsion, torture, esclavage – n'est qu'à
deux pas de nos systèmes démocratiques.

Le Chili a une curieuse devise, "Par la raison
ou par la force". On peut l'entendre au moins
de deux façons : comme une menace brutale,
avec l'accent mis sur la seconde partie de l'équation, ou comme l'admission honnête de la pré-
carité de tout système social, flottant (comme
l'a dit le poète mexicain Amado Nervo) "entre
les mers discordantes de la force et de la raison".
Nous autres, dans la majorité des sociétés occi-
dentales, nous croyons avoir choisi la raison
plutôt que la force, et pour le moment nous
pouvons nous fier à cette conviction. Mais
nous ne sommes jamais tout à fait dégagés de
la tentation du pouvoir. Au mieux, notre société
survivra grâce à la sauvegarde de quelques
notions communes d'humanité et de justice, en
une navigation périlleuse, selon la formule de ma
devise canadienne, *A mari usque ad mare*, entre
ces deux mers symboliques.

Auden a déclaré, la phrase est bien connue, que "la poésie ne suscite pas d'événements". Je ne pense pas que cela soit vrai. Tout livre n'offre pas une révélation, mais nous avons souvent navigué, guidés par une page lumineuse ou le phare d'un poème. Le rôle que jouent les poètes et les conteurs dans nos hasardeux voyages peut n'être pas immédiatement évident, mais une forme de réponse a peut-être émergé dans les séquelles d'une dictature en particulier, une dictature que j'ai suivie de près pendant la décennie sanglante de son règne.

Je ne me rappelle pas son nom, mais elle était dans la classe en dessous de la mienne au Colegio nacional de Buenos Aires. J'avais fait sa connaissance pendant ma deuxième année d'études secondaires, au cours de l'une des excursions que nos surveillants zélés aimaient à organiser pour nous et pendant lesquelles nous découvrions l'art de monter une tente, le plaisir de lire Rulfo et Hemingway autour du feu de camp et les mystères de la politique. Ce qu'était exactement cette politique, nous ne l'avons jamais vraiment su, sauf qu'à l'époque elle faisait écho, de façon assez ronflante, à nos vagues notions de liberté et d'égalité. Avec le temps, nous avons lu (ou essayé de lire) d'arides ouvrages d'économie, de sociologie et d'histoire, mais pour la plupart d'entre nous, la politique restait un mot commode pour nommer notre besoin de camaraderie et notre mépris de l'autorité. Celle-ci comprenait le directeur conservateur du collège, les lointains propriétaires fonciers de vastes zones de la Patagonie (où nous étions allés camper au pied des Andes et où, je l'ai raconté, nous avions vu des familles de paysans vivant leurs vies retirées et pour nous inconcevables), et les militaires dont, le 28 juin 1966, nous vîmes les tanks s'avancer pesamment dans les rues de Buenos Aires en procession, comme il y en eut beaucoup, vers le palais présidentiel sur la plaza de Mayo. Elle eut seize ans cette année-là. En 1968, j'ai quitté Buenos Aires, et je ne l'ai jamais revue. Elle était petite, je m'en souviens, avec des cheveux noirs et bouclés qu'elle faisait couper très court. Elle avait une voix dépourvue d'emphase, douce et claire, et je la reconnaissais toujours au téléphone après une seule syllabe. Elle peignait, mais sans grande conviction. Elle était bonne en maths. En 1982, peu avant la guerre des Malouines et vers la fin de la dictature militaire, je suis revenu faire un bref séjour à Buenos Aires. Comme je demandais des nouvelles de vieux amis, morts ou disparus en si grand nombre pendant ces années terribles, j'appris qu'elle était au nombre de ceux-ci. Elle avait été kidnappée alors qu'elle sortait de l'université où elle avait participé au conseil étudiant. Officiellement, il n'existait aucune trace de sa détention, mais quelqu'un l'avait vue, semblait-il, dans l'un des camps de concentration militaires, pendant un court instant où elle avait été débarrassée, pour une inspection médicale, du sac dont elle était coiffée. Les militaires gardaient en général leurs prisonniers la tête couverte afin qu'ils ne puissent pas reconnaître leurs bourreaux.

Le 24 avril 1995, Victor Armando Ibañez, un sergent argentin qui avait été gardien dans l'un de ces camps, donna une interview au journal de Buenos Aires *La Prensa*. Selon lui, entre deux mille et deux mille trois cents des personnes emprisonnées là, hommes et femmes, vieillards et adolescents, furent "exécutées" à El Campito au cours des deux ans de son service, de 1976 à 1978. Quand le moment était venu pour les prisonniers, raconta Ibañez au journal, "on leur injectait une drogue puissante appelée pananoval, qui les démolissait en quelques secondes. Cela provoquait quelque chose comme une crise cardiaque. [A la suite de ces injections, les prisonniers étaient vivants mais inconscients.] Alors on les jetait dans la mer. On volait à très basse altitude. C'étaient des vols fantômes, sans trace dans les archives. Parfois, j'apercevais de gros poissons, on aurait dit des requins, qui suivaient l'avion. Les pilotes disaient qu'ils s'engraissaient de chair humaine. Je laisse le reste à votre imagination, conclut Ibañez. Imaginez le pire*."

La confession d'Ibañez constituait la deuxième confession "officielle". Un mois plus tôt, un capitaine de corvette à la retraite, Adolfo Francisco Scilingo, avait reconnu avoir utilisé la même méthode pour "disposer des prisonniers". En réaction à cet aveu, le président argentin Carlos Menem traita Scilingo de "malfaiteur", rappela à la presse que le capitaine avait été compromis dans un marché automobile louche et demanda comment on pouvait considérer comme véridique la parole d'un voleur. Il ordonna également à la marine de dégrader Scilingo.

Depuis son élection, en 1989, Menem essayait de classer l'affaire de la culpabilité militaire pendant la "sale guerre", comme on l'a appelée, qui a ravagé l'Argentine de 1973 à 1982, et au cours de laquelle plus de trente mille personnes ont été tuées**. Non satisfait de la date limite pour le dépôt de plaintes contre les militaires (que

* Reproduit dans *Harper's*, New York, juillet 1995.
** Ce chiffre est celui de la Commission nationale des disparus, cité dans *Nunca más* ("Jamais plus") et dans *Index on Censorship*, Londres, 1986.

son prédécesseur, Raúl Alfonsín, avait fixée au 22 février 1988), Menem avait accordé à la plupart des militaires impliqués dans les violations des droits de l'homme un pardon général. Un an plus tard, trois jours après Noël, Menem proclama une amnistie générale pour tous ceux qui étaient compromis dans les événements qui avaient saigné le pays pendant neuf longues années. C'est ainsi qu'il fit sortir de prison le général Jorge Videla (qui devait être, plus tard, arrêté à nouveau) ainsi que le général Roberto Viola, lesquels avaient tous deux été nommés à la présidence par la junte militaire, l'un de 1976 à 1981 et l'autre pendant dix mois en 1981. En termes de droit, un pardon n'implique ni une exonération, ni un acquittement, mais seulement la levée du châtiment. Une amnistie, par contre (comme celle que les militaires s'étaient accordée *in extremis* en 1982 et qui fut abrogée par Alfonsín), est, en effet et en intention, une reconnaissance d'innocence qui balaie toute suspicion de crime. Après les déclarations de Scilingo et d'Ibañez, Menem menaça brièvement les militaires d'annulation de l'amnistie de 1990.

Jusqu'aux confessions de 1995, les militaires argentins ne s'étaient reconnu aucun tort dans leurs prétendues activités antiterroristes. La nature extraordinaire de la guérilla, disaient-ils, exigeait des mesures extraordinaires. Pour cette déclaration, ils furent bien conseillés. En 1977, à la suite d'un rapport commun d'Amnesty International et du Département d'Etat américain qui accusait les forces de la sécurité argentine d'être responsables de centaines de disparitions, les militaires engagèrent une agence de relations publiques américaine, Burson-Marsteller, pour mettre leur réponse au point. Le mémorandum long de trente-cinq pages fourni par Burson-Marsteller recommandait que les militaires aient recours "aux meilleures techniques profession-nelles de la communication afin de faire con-naître ces aspects des événements d'Argentine montrant qu'on y traite le problème du terro-risme de manière ferme et juste, avec une jus-tice égale pour tous*". Vaste entreprise, mais pas impossible à l'ère de la communication. Apparemment inspiré par la devise rebattue "la plume est plus puissante que l'épée", Burson-Marsteller suggéra que les militaires fassent appel à "la rédaction de commentaires édito-riaux positifs" par des écrivains "aux convic-tions conservatrices ou modérées". A la suite de leur campagne, l'ex-gouverneur de Californie, Ronald Reagan, déclara dans les *Miami News* du 20 octobre 1978 que le bureau des Droits de l'homme du Département d'Etat mettait à mal "nos relations avec le septième plus grand pays de la planète, l'Argentine, une nation avec laquelle nous devrions être en relation d'amitié étroite".

Au fil des ans, il y eut d'autres réponses à l'appel des publicitaires. En 1995, peu après les aveux d'Ibañez et de Scilingo, parut dans le quotidien espagnol *El País* un article signé Mario Vargas Llosa. Sous le titre : "Jouer avec le feu", Vargas Llosa soutenait que, si horribles que fussent ces révélations, elles n'étaient une nou-veauté pour personne et ne faisaient que con-firmer un état de choses "atroce et nauséabond pour toute conscience moyennement morale". "Ce serait, assurément, magnifique, écrivait-il, si

---

* R. Scott Greathead, "Truth in Argentina" ("La vérité en Argentine"), *The New York Times*, 11 mai 1995.

tous les responsables de ces cruautés inouïes étaient jugés et sanctionnés. C'est pourtant pratiquement impossible, car cette responsabilité dépasse de beaucoup la sphère militaire et implique un large spectre de la société argentine, y compris une bonne partie de ceux qui aujourd'hui poussent des cris d'orfraie en condamnant rétroactivement une violence qu'ils ont eux aussi, d'une manière ou d'une autre, contribué à attiser*."

"Ce serait, assurément, magnifique…" : voici la figure de rhétorique du faux regret, dénotant le passage de l'indignation partagée devant "l'atroce et le nauséabond" à la prise de conscience plus sobre de leur signification "réelle" – l'impossibilité d'atteindre le but "magnifique" de la justice impartiale. L'argument de Vargas Llosa est ancien, il remonte à la notion de péché originel : nulle âme ne peut en vérité être tenue pour seule responsable, car toute âme est responsable "d'une manière ou d'une autre" des crimes d'une nation, que ceux-ci aient été commis par le peuple lui-même ou par ses dirigeants. Il y a plus d'un siècle, Nicolas Gogol exprimait la même absurdité en termes plus élégants : "Trouvez le juge, trouvez le criminel, et puis condamnez-les tous les deux."

Faisant du cas de son pays une leçon d'histoire, Vargas Llosa conclut son *cri du cœur* : "L'exemple de ce qui s'est passé au Pérou, avec une démocratie que les Péruviens ont détournée à cause de la violence des groupes extrémistes et de l'aveuglement et de la démagogie de certaines forces politiques et qu'ils ont laissée

---

* Mario Vargas Llosa, "Jouer avec le feu", traduit de l'espagnol par Carmen Val Julian, *Le Monde*, 18 mai 1995.

tomber comme un fruit mûr dans les bras du pouvoir personnel et militaire, devrait ouvrir les yeux des imprudents justiciers qui, en Argentine, profitent de ce débat sur la répression des années soixante-dix pour prendre une revanche, venger de vieux affronts ou poursuivre par d'autres moyens la guerre démentielle qu'ils ont déchaînée et perdue."

Burson-Marsteller n'aurait pas pu produire publicitaire plus efficace pour sa cause. Que va faire un lecteur ordinaire, confiant dans l'autorité intellectuelle de Vargas Llosa, de cette conclusion passionnée ? Après quelque hésitation, peut-être, devant la comparaison entre l'Argentine et le Pérou (où le romancier devenu politicien avait perdu à grand fracas l'élection présidentielle), qui semble d'ordre trop manifestement protestataire, le lecteur est entraîné dans une argumentation beaucoup plus subtile : ces "justiciers" – ceux qui réclament cette justice qui, selon Vargas Llosa, est désirable mais utopique – ne sont-ils pas en réalité des hypocrites qui devraient non seulement partager la culpabilité des atrocités, mais encore se voir reprocher d'avoir déclenché une guerre qu'ils ont ensuite perdue ? Soudain, la balance de la responsabilité penche dangereusement du côté des victimes. Ce n'est plus un besoin de justice, ni le désir d'une reconnaissance officielle des torts, mais un appétit de vengeance ou, pis encore, une simple rancœur qui, apparemment, anime ces soi-disant demandeurs de justice. Les trente mille disparus, il ne faut pas se lamenter sur eux ; c'étaient des fauteurs de troubles, ils sont cause de tout. Quant aux survivants – les Mères de la plaza de Mayo, les milliers de gens forcés à s'exiler, les centaines d'hommes et de femmes torturés qui couvrent les pages du rapport sur les disparus, rédigé en 1984, de leurs sobres comptes rendus de souffrances indescriptibles – ils ne devraient pas demander réparation sous peine d'être eux-mêmes passibles de jugement. Et puis, les années soixante-dix, c'est si loin aujourd'hui... Ne vaudrait-il pas mieux oublier ?

Heureusement, il y eut des lecteurs moins confiants. L'article de Mario Vargas Llosa parut à nouveau dans *le Monde* du 18 mai 1995. Une semaine plus tard, l'écrivain argentin Juan José Saer publia une réponse dans le même quotidien[*]. Après avoir corrigé un certain nombre d'erreurs factuelles dans le texte de Vargas Llosa – telles que d'appeler la présidence d'Isabel Perón un gouvernement démocratique, d'ignorer le fait qu'entre 1955 et 1983 l'Argentine n'a connu qu'à peine six ans de dirigeants librement élus –, Saer observe que les arguments de Vargas Llosa coïncident point par point avec ceux des dirigeants militaires, qui soutenaient que la tactique officielle d'assassinat et de torture n'avait pas été leur choix mais celui de ceux qui les provoquaient et les obligeaient à faire usage de "mesures extrêmes". Saer fait également remarquer que la notion de "responsabilité collective" avancée par Vargas Llosa pourrait mettre celui-ci dans une position délicate puisque, à une époque où les intellectuels argentins étaient torturés ou contraints à l'exil, le romancier péruvien continuait à publier de bon cœur dans la presse officielle argentine.

Réagissant au rôle joué par Vargas Llosa, Saer l'accusait d'être le porte-parole des militaires ; il

[*] Juan José Saer, "Mario Vargas Llosa au-delà de l'erreur", *Le Monde*, 26 mai 1995.

écartait ou ignorait ses arguments, qui sont fondés sur une série d'hypothèses fausses. Et cependant puisque, grâce au talent de Vargas Llosa, il faut bien considérer ces arguments comme les plus éloquents de ceux qu'ont brandis les défenseurs de l'amnistie militaire, ils méritent sans doute qu'on les examine de plus près.

• La notion de partage de la culpabilité entre le gouvernement militaire, arrivé au pouvoir par la force et recourant à la torture et à l'assassinat pour lutter contre ses opposants, et les victimes, y compris les guérilleros, les adversaires politiques et les citoyens ordinaires hors association politique, est fallacieuse. Si même l'on pouvait soutenir qu'en un sens l'armée de l'insurrection et l'armée officielle argentine étaient égales en force (mais les chiffres sont apparemment de l'ordre de un pour mille), il n'est aucun argument capable de trouver un équilibre des forces entre la puissance militaire organisée et les intellectuels, les artistes, les dirigeants syndicalistes, les étudiants et les membres du clergé qui ont exprimé leur désaccord avec elle. Le citoyen qui énonce une objection aux actes de son gouvernement n'est coupable d'aucun crime ; au contraire, la vigilance est dans toute société démocratique un devoir civique essentiel. Mais la répression a envahi jusqu'au domaine de l'opposition civile. La Commission nationale sur les disparus, dirigée par le romancier Ernesto Sábato, conclut en 1984 son rapport intitulé *Nunca más* ("Jamais plus") : "Nous pouvons affirmer catégoriquement – au contraire de ce que maintiennent les exécuteurs de ce plan sinistre – qu'ils ne se sont pas bornés à poursuivre les membres d'organisations politiques qui commettaient des actes de terrorisme. On trouve au nombre des victimes des milliers de gens qui n'ont jamais eu de liens avec une telle activité mais ont néanmoins subi des tortures atroces parce qu'ils étaient opposés à la dictature militaire, prenaient part à des activités syndicales ou estudiantines, étaient des intellectuels connus qui contestaient le terrorisme d'Etat, ou simplement parce qu'ils étaient des parents, des amis, ou des noms figurant dans le carnet d'adresses d'une personne considérée comme subversive."

• Tout gouvernement qui a recours à la torture et à l'assassinat pour défendre la loi invalide à la fois son droit à gouverner et la loi qu'il défend, puisque l'un des rares dogmes fondamentaux de toute société dont les citoyens sont égaux en droits est le caractère sacré de la vie humaine. "Il est évident, a écrit Chesterton dans *Le Défenseur*, qu'il ne pourrait y avoir de salut pour une société dans laquelle une déclaration du président de la cour qualifiant l'assassinat de faute serait considérée comme une épigramme originale et éblouissante." Un gouvernement qui ne reconnaît pas cette vérité et ne demande pas de comptes à ceux qui torturent et assassinent ne peut pas revendiquer sa propre justice. Aucun gouvernement ne peut à bon droit refléter le comportement de ses criminels en répliquant sur le même mode à ce qu'il pourrait condamner comme un acte contraire aux lois de la nation. Il ne peut se laisser guider par un sentiment individuel de justice, de vengeance, de cupidité ni même de morale. Tous les actes individuels de ses citoyens, il doit les englober dans le cadre des paramètres établis par la constitution du pays. Il doit défendre la loi au moyen de la loi, et selon la lettre de la loi. En dehors de la loi, un gouvernement n'est plus un gouvernement mais un pouvoir usurpé, et comme tel il doit être jugé.

• La confiance dans le pouvoir ultime de la loi a soutenu beaucoup des victimes de la dictature militaire pendant ces années terribles. En dépit de la douleur et de la consternation provoquées par les abus officiels, on continuait à croire que dans un avenir pas trop lointain ces abus seraient révélés et jugés selon la loi. Le désir de torturer le bourreau et de tuer l'assassin a sans doute été impérieux, mais plus forte encore était la conscience du fait que de tels actes de représailles deviendraient indiscernables de ceux qui les avaient provoqués et, par quelque voie abominable, se métamorphoseraient en victoire pour les assassins. Les victimes et leurs familles préférèrent garder foi en une forme quelconque d'ultime jugement terrestre, où la société qui avait subi des torts ferait le procès des coupables en accord avec les lois de cette société. La seule chance qui restait à leur pays, pensaient-ils, reposait sur l'accomplissement d'une telle justice. L'amnistie décrétée par Menem leur refusa cette possibilité tant attendue.

• Cette "absence de justice" trouve un reflet macabre dans la tactique des "disparitions" pratiquée par les militaires, grâce à laquelle leurs victimes – kidnappées, torturées, lancées d'avions en vol, jetées dans des tombes anonymes – devenaient non des morts officiels, mais simplement des "absents", privant les familles angoissées des corps dont ils eussent pu faire leur deuil. Julio Cortázar, en 1981, décrivit en ces mots la méthode de la dictature : "D'une part, on supprime un antagoniste virtuel ou réel ; d'autre part, on crée des conditions dans lesquelles les familles et les amis des victimes sont souvent forcés de

garder le silence, seule possibilité d'épargner la
vie de ceux que leurs cœurs ne les autorisent
pas à croire morts*." Et il ajoutait : "Si toute mort
humaine entraîne une irrévocable absence,
que dire de cette autre absence qui dure, telle
une sorte de présence abstraite, comme la négation obstinée de l'absence que nous savons
définitive ?" En ce sens, l'amnistie de Menem ne
guérit pas le mal du passé – il le prolonge seulement dans le présent.

• La tentative révisionniste de Menem n'est
pas originale. L'un des premiers cas d'amende-
ment du présent par l'effacement des tensions
du passé a eu lieu en l'an 213 avant J.-C., quand
l'empereur de Chine Shi Huangdi ordonna qu'on
jette au feu tous les livres de son royaume afin
(dit la légende) de détruire toute trace de
l'adultère de sa mère. Mais nul acte, si monstrueux ou si trivial soit-il, ne peut être aboli une
fois commis – pas même par un empereur de
Chine, et moins encore par un président argentin. Telle est la loi inexorable de notre vie.
L'immuabilité du passé n'est pas soumise aux
caprices d'un gouvernement, pas plus qu'à une
soif de vengeance ou de diplomatie. Aucun acte
ne peut être annulé. Il peut être pardonné mais,
pour avoir la moindre validité émotionnelle, le
pardon doit venir de l'offensé et de nul autre.
Rien n'est changé dans l'acte proprement dit
après un pardon : ni les circonstances, ni la gravité, ni la culpabilité, ni la blessure. Rien, sinon
la relation entre le bourreau et les victimes, quand
les victimes réaffirment leur souveraineté, selon

---

* Julio Cortázar, "Negación del olvido" ("Négation de
l'oubli") in *Obra crítica*, vol. 3, Saúl Sasnowski, Alfaguara,
Madrid, 1983.

la formule d'une antique prière anglaise, "sans peser les mérites, mais en pardonnant les offenses". Le pardon est la prérogative de la victime, non un droit du bourreau – et cela, le gouvernement de Menem ainsi que ceux qui le soutiennent, tel Vargas Llosa, semblent l'avoir oublié.

• Le pardon accordé par une victime reste sans portée sur les mécanismes de la justice. Le pardon ne modifie ni ne qualifie l'acte, qui projettera son ombre devant lui, pour l'éternité, dans tout nouveau présent. Le pardon n'accorde pas l'oubli. Mais un procès appliquant les lois de la société peut du moins prêter un contexte à l'acte criminel ; la loi peut le confiner, pour ainsi dire, dans le passé afin qu'il ne contamine plus l'avenir, restant à distance tel un rappel et un avertissement. De façon mystérieuse, l'application des lois d'une société s'apparente à un acte littéraire : elle fixe l'acte ciminel sur le papier, le définit par des mots, lui attribue un contexte qui n'est pas celui de l'horreur absolue du moment mais celui de sa remémoration. Le pouvoir de la mémoire n'est plus aux mains des criminels ; c'est désormais la société qui détient ce pouvoir et rédige la chronique de son propre passé coupable, pouvant enfin se reconstruire non sur le vide de l'oubli mais sur la réalité solide et officielle des atrocités commises. Le processus est long, désolé, effrayant et douloureux, et c'est le seul possible. De telles guérisons laissent toujours des cicatrices.

• L'amnistie proclamée par Menem, cédant aux exigences d'assassins et de bourreaux notoires, a retardé la guérison pour très longtemps, apparemment. Telle qu'elle se présente aujourd'hui, l'Argentine est un pays dépossédé de ses droits : son droit à la justice sociale, ignoré, son droit à l'éducation morale, invalidé, son droit à l'autorité morale, confisqué. La nécessité "d'aller de l'avant", la nécessité de "réduire les différends", la nécessité de "permettre à l'économie de retrouver la prospérité", Menem les a toutes invoquées comme autant de bonnes raisons de pardonner et d'oublier. Avec le soutien de voix éclairées comme celle de Vargas Llosa, Menem semble penser qu'on peut congédier l'histoire ; qu'on peut laisser le souvenir de milliers d'individus, telle mon amie étudiante, jaunir sur des étagères oubliées dans d'obscures officines bureaucratiques ; qu'on peut rattraper le passé sans consentir d'effort, sans faire officiellement amende honorable, sans rédemption.

Tout en attendant l'action de justice à présent refusée, les victimes de la dictature militaire en Argentine peuvent encore espérer une autre forme de justice, plus ancienne – moins évidente, mais à la longue plus durable. Il est rare que le labyrinthe de l'esprit d'un politicien renferme la promesse d'une rédemption, mais celui d'un bon écrivain est presque exclusivement construit sur une telle promesse et, quoi qu'en ait pu dire Auden, il n'autorise pas l'oubli.

Grâce à certains livres (un catalogue trop long et trop personnel pour être ici de quelque utilité), les bourreaux et leurs victimes peuvent, les uns et les autres, savoir qu'ils n'étaient pas seuls, inaperçus, inattaquables. La justice, au-delà des exigences littéraires conventionnelles qui veulent un dénouement heureux, est sur un plan essentiel notre lien humain commun, l'aune à laquelle nous pouvons tous nous mesurer. Selon la formule de l'ancien droit anglais, il ne suffit pas que justice soit faite, il faut aussi que l'on voie qu'elle est faite.

Le manque de confiance d'Auden dans la capacité d'un écrivain à changer le monde me paraît un sentiment moderne. Robert Graves a fait observer, dans *La Déesse blanche*, l'attention que portaient les Irlandais et les Gallois à la distinction entre poètes et satiristes : la tâche du poète était créatrice et curative, celle du satiriste destructive et néfaste, et l'une et l'autre détournaient le cours des événements de ce monde. La nature elle-même était censée s'incliner devant les paroles d'Orphée, et Shakespeare rappelait le pouvoir qu'avaient les bardes irlandais de "tuer les rats à coups de rimes" ; au VII$^e$ siècle, le grand Seanchan Torpeste, s'étant aperçu que des rats avaient mangé son repas, en massacra dix sur-le-champ en déclamant un poème qui commençait ainsi :

> *Les rats ont des museaux pointus*
> *Mais sont de piètres combattants.*

Qu'il s'agisse de rats ou de dictateurs, les écrivains peuvent susciter une forme sauvage de justice en jouant leur rôle d'espions de Dieu. "Bien des hommes courageux ont vécu avant l'époque d'Agamemnon, écrivait Horace au I$^{er}$ siècle avant notre ère, mais tous sont enfouis sous la longue nuit, non pleurés et inconnus, car il leur manquait un poète." Ainsi qu'Horace le laissait entendre, nous avons plus de chance. Les poèmes et les récits qui nous rachèteront (ou dans lesquels nous trouverons une rédemption quelconque) sont écrits, ou seront écrits, ou ont été écrits et attendent leurs lecteurs avec,

d'âge en âge, cette présomption : que l'esprit
de l'homme est toujours plus sage que ses actes
les plus atroces, puisqu'il peut les nommer ;
que, dans la description de nos actes les plus
haïssables, quelque chose, dans une écriture de
qualité, révèle qu'ils sont haïssables et par conséquent pas invincibles ; que, malgré la faiblesse et le caractère aléatoire du langage, un
écrivain inspiré peut dire l'indicible et donner
forme à l'impensable, de telle façon que le mal
perd une partie de son aspect surnaturel et se
trouve réduit à quelques mots mémorables.

## LE TEMPS DE LA VENGEANCE

*Le troisième soir, Schéhérazade raconte cette histoire :*

UN PÊCHEUR, VIEUX ET TRÈS PAUVRE, avait pour habitude de ne lancer ses filets que quatre fois par jour. Un soir, après les avoir lancés trois fois sans rien ramasser que de la boue et des pierres, il pria Dieu de lui pardonner son impatience et de se rappeler que le lancer suivant serait le dernier de la journée. Alors le pêcheur lança ses filets pour la quatrième et dernière fois. Les nasses paraissaient lourdes, et quand il les sortit il vit qu'il avait pris une petite bouteille de cuivre. Curieux de voir ce qu'elle contenait, le pêcheur la déboucha à l'aide de son couteau et la secoua pour en faire sortir le contenu. A sa grande surprise, une fumée épaisse s'éleva, se rassembla en nuage et prit la forme d'un éfrit, génie gigantesque qui se dressa au-dessus du pêcheur et dit : "Je suis l'un des djinns hérétiques que le roi Soliman a enfermés dans une bouteille en châtiment de notre insoumission à sa volonté. Jeté au fond de la mer dans ma prison, je suis resté là pendant mille ans, et j'ai promis à celui qui me délivrerait toutes les richesses de l'univers – mais il n'est venu personne. Pendant les mille années suivantes, j'ai promis à celui qui me délivrerait toute la sagesse du monde – mais il n'est toujours venu personne. Pendant le troisième millier d'années, j'ai promis à celui qui me délivrerait d'exaucer trois de ses souhaits – et encore personne n'est venu. J'ai été pris alors d'une rage violente, et je me suis dit : celui qui me libérera maintenant, je le tuerai. Prépare-toi donc à mourir, ô mon sauveur !"

Peut-être sommes-nous arrivés non au troisième mais au quatrième millénaire, au point où la patience est épuisée. A présent, avec l'avantage du regard en arrière, il paraît évident que tout indiquait que cela arriverait. Notre histoire, partout et en tous temps, est faite de tels abus, d'une telle injustice, de tant de cruauté qu'en la parcourant je me demande pourquoi le cloaque de haine que nous avons ainsi produit n'a pas encore débordé, nous engloutissant tous. Pendant des siècles et des siècles, exactement comme le génie, les victimes ont dit à leurs bourreaux : Laissez-nous la liberté, et nous prospérerons tous, laissez-nous nous exprimer, et nous deviendrons tous sages, laissez-nous être égaux, et nous essaierons tous de vivre ensemble dans une forme d'harmonie rationnelle. Mais plus maintenant. Maintenant, enfin, les victimes ont décidé que le temps de la patience est passé. Vous souvenez-vous du titre d'un livre de James Baldwin, *La prochaine fois, le feu* ? La prochaine fois, c'est maintenant.

L'une des nombreuses façons de visualiser la fiction que nous appelons histoire – ainsi que l'ont naïvement imaginé certaines vulgarisations américaines – passe par les humeurs caractéristiques de chaque prétendue période, par le sens qui semble imprégner une décennie, un siècle, un âge – âge de raison, âge d'incertitude (l'expression est d'Auden) et ainsi de suite. Quant à notre temps, cette "fin de millénaire", je crois que le sentiment dominant nous obligerait à l'appeler l'âge de la revanche. Aujourd'hui, de plus en plus fortes, des millions de voix semblent dire : "Notre tour est venu." Elles n'implorent pas, elles n'essaient pas de convaincre, elles ne demandent même pas justice. Elles vont simplement de l'avant, la torche à la main. Elles n'utilisent certainement pas le feu pour éclairer qui que ce soit. Elles combattent l'intolérance par l'intolérance. Et elles ne veulent pas de camaraderie.

Je ne suis pas un avocat de la tolérance au sens où l'on utilise souvent ce mot. ("Nous devons faire preuve de tolérance envers les homosexuels, car leur sexualité correspond à un arrêt de croissance", soutenait un psychiatre argentin en 1992 ; "Nous devons tolérer les Juifs, ou ils se déclareront les martyrs du monde", déclarait Martin Heidegger en 1933.) La tolérance, qui impliquait autrefois une position anti-hiérarchique, implique souvent aujourd'hui une hiérarchie, quelqu'un qui condescend à se montrer "tolérant" envers autrui et exige qu'on lui en soit reconnaissant. La tolérance est une sorte de philanthropie qui finit par se consumer elle-même. "La tolérance, a écrit E. M. Forster dans *Two Cheers for Democracy*, signifie simplement s'accommoder des gens, être capable de supporter les choses." Mais l'intolérance aussi est autodestructrice. L'intolérance (ainsi que l'a découvert le génie du conte) est une forme de suicide.

En ce sens, tolérance et intolérance rejettent l'une comme l'autre la notion d'égalité. On ne peut pas se montrer tolérant – ni même intolérant – envers quelqu'un qu'on perçoit comme possédant des droits et des responsabilités égaux aux siens. Notre histoire, en dépit de la belle devise de la Révolution française, paraît le confirmer. Nous semblons condamnés par des arrangements – ou des dérangements – conclus avant notre naissance et dont, que nous le voulions ou non, nous sommes les héritiers. L'histoire voudrait nous faire croire que le pêcheur est condamné aux stratagèmes traditionnels de sa classe maltraitée, comme Salomon et le génie l'étaient aux leurs, héritiers de leurs rôles de rois ou d'esclaves. Dans *The Muse of History*, le poète Derek Walcott demande : "Mais qui dans le Nouveau Monde n'a pas horreur du passé, que son ancêtre ait été bourreau ou victime ? Qui, dans le secret de sa conscience, ne hurle pas en silence, appelant le pardon ou la vengeance ?"

L'intolérance génère l'intolérance. Lorsque le général Perón l'eut fait passer du statut de bibliothécaire à celui d'inspecteur de la volaille dans un marché municipal, Borges déclara : "Les dictatures engendrent l'oppression, les dictatures engendrent la servilité, les dictatures engendrent la cruauté ; le plus abominable, c'est qu'elles engendrent la stupidité." L'intolérance est une forme de stupidité, en ce sens qu'elle est incapable de voir les richesses individuelles et ne peut traiter que de stéréotypes. Elle relève de la même catégorie que le préjugé, par lequel le processus rationnel est supplanté par un cliché, une *idée reçue**.

Et pourtant, de même que la réaction du génie, l'intolérance vient de gens qui sont au bout du rouleau. Nous pouvons ne pas nous sentir coupables des crimes de nos pères, ni même de

---

* En français dans le texte. *(N.d.T.)*

ceux de nos contemporains, mais parce que la loi établie consiste à identifier les individus par les caractéristiques d'un groupe prédéterminé – la méthode du racisme –, ces individus, à leur tour, nous identifient de façon identique. De tels stéréotypes naissent toujours de l'ignorance. Et l'ignorance, ainsi que l'a dit Montesquieu, est la mère de la tradition. Pour Salomon, le génie n'est, par tradition, qu'un des esclaves ; pour le génie, Salomon n'est qu'un des oppresseurs. Parce que pendant des siècles les Noirs ont été considérés comme du bétail par les membres de la société blanche, les membres de la société blanche sont considérés par les Noirs comme une "meute de loups" (description du leader noir Louis Farrakhan), et toute action qui affecte les Noirs est considérée comme un aspect d'une attitude raciste universelle. Notre société a établi les généralités en guise de norme, et à présent les généralités *sont* la norme. "La norme n'est jamais normale", a écrit le romancier aborigène Mudrooroo.

Dans une certaine mesure, le préjugé est question de pronoms. L'accent sur "nous" est exclusif ; c'est-à-dire que "nous" signifie : "pas vous".

> *Tous les braves gens en conviennent*
> *Et tous les braves gens le disent :*
> *Tous les braves gens, comme nous, sont Nous,*
> *Et tous les autres sont Eux.*
> *Mais si vous traversez les océans*
> *Au lieu de traverser la rue,*
> *Vous pourriez finir (imaginez ça !) par nous voir,*
>     *Nous,*
> *Comme une autre espèce d'Eux.*

Rudyard Kipling a écrit ces lignes en 1919. Ce que les gens au pouvoir semblent oublier, c'est que la constitution d'un groupe, quel qu'il soit, aux fins d'exclusion – les Noirs, les femmes, les Juifs, les gays, n'importe quel groupe ethnique ou national distinct auquel il vous plaira de penser – accorde à ce groupe des méthodes identiques. En écartant quelqu'un de nous, nous nous écartons de lui. Quand nous disons "vous n'êtes pas nous", nous disons aussi : "Nous ne sommes pas vous."

On peut dire la même chose des livres que nous lisons. La lecture nous apporte une forme particulière de connaissance, dont peut résulter une transformation du monde qui nous entoure et de nous-mêmes, un changement épistémologique profond dû à quelque effet mystérieux ; ou bien elle est en soi une activité, une sorte de ruban de Mœbius d'expérience caressant sans fin sa face unique. Pour Shelley, la poésie établissait les lois selon lesquelles nous comprenons le monde ; pour Tristan Tzara, la poésie n'avait d'autre rôle à jouer que de nous distraire du monde. Shelley avait raison dans la mesure où nous, les lecteurs, pouvons trouver dans ces griffonnages un sens au chaos de l'univers ; Tzara avait raison dans la mesure où un poème n'est rien que griffonnages sur une page.

Pour ma part, j'ai toujours considéré la littérature, sa conversion par l'activité de la lecture, comme un processus d'expansion au cours duquel le texte devient un palimpseste au fur et à mesure que je lis à travers lui les mots des strates successives de mes autres lectures. Même s'ils restent sans effet immédiat et visible sur notre société, je persiste à croire à l'efficacité des "griffonnages" parce qu'ils donnent au lecteur la possibilité d'une attitude différente – lire "vengeance", par exemple, là où un autre a écrit "exigence acharnée de justice". La littérature se redéfinit au moyen de ses propres matériaux, non par le rejet mais par la relecture, et je suggère que notre tâche consiste à proposer sans cesse de nouveaux points de vue, de sorte que les présences et les absences dont nous souffrons actuellement soient perçues plus clairement – et afin de leur attribuer, au bout du compte, leur place propre et ordinaire.

Mais y a-t-il des limites à ce processus de redéfinition, à l'usage renouvelé que nous pouvons faire de ces griffonnages ? Un exemple classique peut ici être utile. *Au cœur des ténèbres*, de Joseph Conrad, a été lu par Chinua Achebe comme un texte raciste, en dépit de ses qualités littéraires, à tel point qu'Achebe se dit horrifié qu'on puisse considérer un tel texte comme un "classique anglais". Tous les éléments qu'Achebe reconnaît comme racistes existent, en effet, dans le roman de Conrad. Par exemple :

Marlow, le narrateur, décrit une foule d'Africains ; "une masse nue, haletante et frémissante, de corps bronzés". Au premier rang se trouvent trois hommes, "barbouillés de rouge de la tête aux pieds".

> Quand nous arrivâmes à leur hauteur, ils firent face, frappèrent du pied, hochèrent leur tête encornée, balancèrent leur corps écarlate ; ils brandissaient vers le redoutable Démon une touffe de plumes noires, une peau galeuse à la queue pendante, quelque chose qui avait l'air d'une gourde séchée et à intervalles réguliers ils hurlaient tous ensemble des kyrielles de mots extraordinaires qui ne ressemblaient au son d'aucune langue humaine, et le murmure profond de la multitude, subitement interrompu, était pareil aux répons de quelque satanique litanie*.

* Trad. André Ruyters, NRF, 1930 (sous le titre *Le Cœur des ténèbres*), pour cette citation et les suivantes.

Comparez cet exemple à cet autre, extrait d'un texte moins classique :

> Mark Brendon était démodé et les femmes nées de la guerre ne l'attiraient pas du tout. Il leur reconnaissait de belles qualités et, souvent, de la distinction d'esprit ; mais son idéal restait un autre type, plus ancien – le type de sa propre mère qui, devenue veuve, s'était occupée de lui et de sa maison jusqu'à sa mort. Elle était son idéal féminin – paisible, pleine de sympathie, digne de confiance –, une femme qui faisait toujours siens les intérêts de son fils, qui se concentrait sur sa vie à lui plutôt que sur la sienne et trouvait dans ses progrès et ses triomphes le cœur de sa propre existence.
>
> Mark voulait, en vérité, une femme qui se contenterait de se fondre en lui en ne cherchant ni à lui imposer sa personnalité ni à se créer un environnement indépendant. Il était assez intelligent pour savoir que le point de vue d'une mère doit différer largement de celui de n'importe quelle épouse, si parfaite que soit la dévotion de celle-ci ; il avait une expérience suffisante des hommes mariés pour douter que la femme qu'il cherchait existât dans le monde d'après-guerre ; et pourtant il conservait et s'autorisait l'espoir qu'il y eût encore des femmes à l'ancienne mode, et il commença à se demander où il pourrait trouver l'une de ces fidèles compagnes.

La source est l'un des plus connus des romans policiers anglais des années trente, *The Red Redmaynes*, d'Eden Phillpotts, publié en 1920.

En tant que lecteur, j'ai le choix entre de nombreuses possibilités. Les éléments du texte – en fonction du ton de ma lecture, de mon sens de l'humour, de mon expérience, de ma connaissance du contexte, et d'autres choses encore – peuvent être transformés de toutes sortes de façons différentes par ce que Giovanna Franci nomme *"l'ansia dell'interpretazione"*, le désir anxieux d'interpréter. Umberto Eco, dans *Les Limites de l'interprétation*, suggère que l'interprétation "ouverte", qu'il a un jour appelée "le cancer de l'interprétation non contrôlée", est limitée par le bon sens du lecteur ; il existe une réaction fondamentale commune à un texte, une réaction grâce à laquelle un minimum de communication est possible.

Dans le cas de Conrad, par exemple, une lecture "raciste" d'*Au cœur des ténèbres* est bien entendu possible. Cependant je ne la crois pas utile. Pour l'essentiel, au cœur des ténèbres, il n'y a pas l'Afrique, ni la vision qu'un homme blanc se fait de l'Afrique, ni les sauvages noirs décrits dans le passage incriminé. Au cœur des ténèbres, il y a Kurtz. "C'était son âme qui était folle, dit Marlow. Isolée dans la sauvagerie, elle s'était absorbée dans la contemplation de soi-même, et par Dieu ! je vous le dis, elle était devenue folle. Pour mes péchés, je suppose, il me fallut subir cette épreuve de la contempler à mon tour. Aucune éloquence au monde ne saurait être plus funeste à notre confiance dans l'humanité que ne le fut sa dernière explosion de sincérité." Toute l'idée, c'est que Kurtz, et finalement Marlow, et nous tous, nous devons passer par l'épreuve consistant à regarder en nous-mêmes. Et parce que nous vivons dans le monde où nous vivons, nous ne le ferons pas au sein de nobles pensées d'égalité humaine, de respect mutuel, ni même d'amour les uns pour les autres. Nous devons le faire dans ce cloaque que nous avons créé, au milieu de cris de meurtre et de vengeance. Je ferais preuve d'arrogance si je récusais l'expérience de lecteur d'Achebe – et les passages racistes sont bien là, ils appartiennent en le définissant au monde de Kurtz, et à celui de Marlow, et à celui de nombreux admirateurs de Conrad – vous et moi. Mais que cela reflète ou non le point de vue personnel de Conrad, c'est là un point que l'on ne saurait discuter que dans un lieu rare et privé. Dans le texte, la question est sans portée, car Conrad (qui qu'il fût) ne fait pas partie du discours d'*Au cœur des ténèbres*. Ces sauvages noirs sont encore l'image perçue par la grande majorité de nos voisins, par les jurys blancs de Los Angeles, par les policiers de Toronto, par les lobbies anti-immigration d'Australie, par d'honnêtes citoyens dans la campagne française. "Vous comprenez cela ?..." demande Marlow à Kurtz, vers la fin. "Si je comprends !..." répond Kurtz. Il meurt peu après, sans doute persuadé qu'il comprend. Et Marlow, qui reste fidèle à Kurtz jusqu'au bout, "et même au-delà", le croit sans doute aussi. Lui aussi mourra, quelque part hors du roman, convaincu de ce grand mensonge de l'impérialisme : que le bourreau est en fin de compte la victime. Ce qui fait d'*Au cœur des ténèbres* un grand roman – malgré ce qu'y voit Achebe –, c'est qu'il s'abstient de toute glose sur cette horreur : non pas l'horreur qu'a vue Kurtz mais l'horreur du monde entier, commise par l'humanité entière, en Europe comme en Afrique. En ce sens, *Au cœur des ténèbres* m'apparaît comme une remarquable dénonciation du racisme, dans laquelle il n'y a pas d'espoir dans le cadre du système existant. Et peu importe que Conrad en soit ou non persuadé. Une grande œuvre d'art est toujours supérieure à son créateur. "Il y a de l'espoir, mais pas pour nous", a dit Kafka. Ce pourrait être l'épigraphe d'*Au cœur des ténèbres*.

La citation extraite de *The Red Redmaynes* soulève d'autres questions. D'abord, comment les premiers lecteurs de ce livre ont-ils réagi à ce passage ? Probablement sans surprise ni humeur. Même si certains d'entre eux ont pu, peut-être, réagir autrement, il est étonnant de penser à quel point ce passage a dû paraître peu remarquable aux lecteurs ordinaires des années vingt. Mais ensuite, pour un lecteur d'aujourd'hui, quelle est la signification de ce passage ? En dehors du fait qu'il justifie la colère des lectrices à se voir réduites à ce que Phillpotts appelle une "fidèle compagne", ne nous offre-t-il pas un point de départ d'où explorer les conceptions littéraires de l'époque sur un plan plus vaste ? 1922, c'est l'année où Joyce a publié *Ulysse*. Qui est Molly Bloom, en relation à la *Ewig Weibliche* de notre Phillpotts ? Je laisse la question sans réponse… Et en ce qui concerne mes lectures de ces deux auteurs, Conrad et Phillpotts, je ne peux que tomber d'accord avec Tzara. J'ai lu ces griffonnages et au-dehors, dans l'univers de poussière et de briques, rien n'a changé. L'injustice est toujours l'injustice, les quotidiens nous en informent.

Et pourtant…

Même si un texte donné autorise un nombre illimité de lectures, il semble que les groupes au pouvoir, définis par contraste avec les groupes qu'ils exploitent, déterminent dans une grande mesure la lecture convenue. Le masculin avant le féminin, le blanc avant le noir, l'hétéro avant l'homo, telles ont été les normes pendant au moins les trois derniers millénaires du génie. A une époque récente, on a suggéré que les textes eux-mêmes sont responsables. Que la création de textes par d'autres mains, avec d'autres voix, fera basculer la question et que

certaines voix, qui ont parlé de questions intéressant directement les groupes opprimés,
devraient volontairement garder le silence pendant quelque temps et laisser la place à ceux
qui, parmi les opprimés, se sont vu refuser l'accès à la parole.

Voici l'écrivain américain Alice Walker :

> *Que peut dire l'homme blanc à la femme noire ?*
> *Une seule chose que la femme noire pourrait*
> *entendre.*
>
> . . . . . . . . . . . . . . . . . . . . . . . . . . . . . . . . . . . . . . . . . . . . . . . . . .
>
> *Je débarrasserai de l'obstacle que je suis le*
> *chemin que tes enfants,*
> *contre tout espoir,*
> *se tracent vers la lumière. Je ne les assassinerai pas*
> *parce qu'ils rêvent et*
> *proposent de nouvelles visions de la façon de*
> *vivre. Je cesserai d'essayer de guider tes enfants*
> *car je*
> *vois que je n'ai jamais compris où j'allais.*
> *J'accepterai de rester assis en silence pendant*
> *un siècle ou deux, et de méditer là-dessus.*
> *Voilà ce que l'homme blanc peut dire à la femme*
> *noire.*
> *Nous écoutons.*

Comment pourrais-je discuter la logique poétique du texte d'Alice Walker ? Pourtant, j'aimerais faire une suggestion. Il ne fait aucun doute
qu'un plus grand nombre de voix opprimées
devraient et doivent se faire entendre. Il ne fait
aucun doute qu'un plus grand nombre d'Alice
Walker, de James Baldwin et de Mudrooroo
devraient faire surface. Mais, sans une race nouvelle de lecteurs pour prendre sur eux ces textes,
pour y lire de "nouvelles visions de la façon
de vivre", il n'adviendra guère de changement.
C'est sur les lecteurs que nous devons nous
concentrer, pas sur les auteurs, sur les lecteurs

qui se serviront du texte et "feront se produire quelque chose". Sans une telle éducation des lecteurs, les voix nouvelles, quel que soit leur nombre, ne changeront rien car elles résonneront dans une foule sourde. Et si ces lecteurs apprennent à rechercher, à interpréter, à traduire, à placer les textes dans des contextes variés, à les transformer en multipliant les niveaux de lecture – si nous, lecteurs, nous nous entraînons à cela – alors nous n'aurons pas besoin qu'on impose le silence à aucune voix, parce que nous serons capables de faire nos choix. Une voix rendue silencieuse, que son silence soit volontaire ou non, ne disparaît jamais. Son absence devient énorme, trop énorme pour qu'on puisse l'ignorer. Assurément, ce n'est pas une nouvelle absence que nous voulons, un nouveau vide pour cent ou pour mille ans, mais une période de réparation, pendant laquelle ces voix s'élèveront et accéderont au droit à la parole si longtemps usurpé par les gens au pouvoir.

Je suis convaincu également que l'espoir est du côté des individus, que les solutions ne se trouvent pas dans les foules. L'un des plus grands triomphes de tout oppresseur consiste à convertir l'opprimé à ses méthodes. Un lecteur n'a pas besoin d'adopter les méthodes de l'écrivain, ni même celles d'un autre lecteur. Un texte autorise par lui-même plus de liberté que nous ne le croyons possible en général, ce qui explique que les gouvernements ne sont jamais vraiment très attachés à l'éducation, et que ce sont souvent les écrivains et rarement les plongeurs en haute mer ou les courtiers en bourse qui sont emprisonnés, torturés et tués pour raisons politiques.

Mais l'histoire du génie dans la bouteille a une contrepartie.

Pendant la dictature militaire en Argentine dans les années soixante-dix, le poète Juan Gelman, qui avait alors entre quarante et cinquante ans, fut contraint de fuir en Espagne. Son fils et sa belle-fille, eux, furent capturés par les militaires, torturés et tués. La belle-fille était enceinte. Un an plus tard environ, l'un des amis de Gelman le rencontra en Espagne et lui dit le nom de l'homme qui était directement responsable de la mort du fils et de la belle-fille du poète. Gelman décida de retourner en Argentine pour le tuer. Des amis tentèrent de l'en dissuader, mais il lui semblait que sa vie n'avait plus de sens et que, d'une manière ou d'une autre, la vengeance atténuerait l'absence ou apaiserait la mémoire de ses morts. Gelman retourna en Argentine muni d'un faux passeport mais, avant qu'il ait pu se mettre à la recherche du meurtrier, il reçut la visite de deux femmes. Ces femmes, que des amis de Gelman avaient informées de son arrivée, lui dirent qu'elles faisaient partie des Mères de la plaza de Mayo, ces mères dont les enfants avaient "disparu" du fait des militaires et qui se rassemblaient, chaque semaine, devant le palais présidentiel, afin de montrer que leurs fils et leurs filles n'étaient pas oubliés. Ces femmes désiraient parler à Gelman. Je ne sais pas ce qu'elles lui ont dit, mais l'essentiel en était que si Gelman assassinait l'assassin de son fils et de sa belle-fille, il deviendrait dans les faits l'un d'entre "eux", il trahirait dans les faits la mémoire de son fils et de sa belle-fille. Je ne sais ni quels mots elles ont employés, ni si leurs arguments étaient bien présentés, mais Gelman finit par céder et retourna en Espagne.

Je ne crois pas que j'en serais capable. Si quelqu'un faisait quoi que ce soit à l'un de mes enfants, je me vois très bien me transformer en assassin, littérature ou non, et je ne peux imaginer aucun argument susceptible de m'en dissuader. Mais un tel argument *existait*. Et ces femmes l'ont avancé. Et, dans le cas de Gelman, il est parvenu à quelque chose de mieux qu'une simple vengeance. Et cela, à mon avis, c'est une autre lecture possible.

# VIII

## CERTAINES LECTURES

"Ah ! par exemple, voilà qui est un peu fort !
s'écria, en proie à une rage soudaine,
Humpty-Dumpty.
Vous avez écouté aux portes…
et de derrière les arbres…
et par les tuyaux des cheminées…
sinon vous n'auriez pu avoir connaissance de ça !"

"Je vous jure que non !
répondit, très suavement, Alice.
Je l'ai lu dans un livre."

*De l'autre côté du miroir*, chapitre VI

# PRENDRE CHESTERTON AU MOT

> *Les noms, mais c'est tout. Pour ma part, je ne critique jamais les faits. Mes seules critiques vont aux mots. Voilà pourquoi je hais, en littérature, le réalisme vulgaire.*
>
> OSCAR WILDE,
> *Le Portrait de Dorian Gray**.

QUAND ON LIT CHESTERTON, on se sent submergé par une extraordinaire impression de bonheur. Sa prose est le contraire d'académique : elle est joyeuse. Ses mots rebondissent dans un jaillissement d'étincelles, tel un jouet mécanique soudain venu à la vie, cliquetant et tourbillonnant de bon sens, cette merveille étonnante entre toutes. Le langage était pour Chesterton un jeu de construction avec lequel fabriquer des théâtres de marionnettes et des armes pour rire et, ainsi que l'a observé Christopher Morley, "de ses jeux de mots naissait souvent un jeu de réflexion véritable". Son écriture a quelque chose de riche et de précis, de coloré et de bruyant. La prétendue sobriété anglaise ne lui convenait guère, ni dans le vêtement (son vaste manteau flottant, son vieux

---

* Traduction de E. Jaloux et F. Frapereau, Les Ecrits, Paris-Bruxelles, s. d.

chapeau mou et son pince-nez de gnome lui donnaient l'air d'un personnage de pantomime), ni dans les mots (il ne cessait de tourner et retourner une phrase que lorsqu'elle se déployait comme une liane en fleur, lançant des rameaux dans de multiples directions avec une fougue tropicale et s'épanouissant en plusieurs idées à la fois). Il écrivait et lisait avec la passion d'un glouton pour le manger et le boire, quoique sans doute avec plus de plaisir, et les souffrances du scribouillard penché sur la page blanche de Mallarmé semblent n'avoir jamais été les siennes, pas plus que les angoisses de l'érudit entouré de volumes anciens. La lecture d'un livre était pour lui une activité plus physique qu'intellectuelle. Le père John O'Connor, modèle du père Brown, disait que lorsque Chesterton lisait un livre "il le retournait, en cornait des pages, griffonnait dedans, s'asseyait dessus, l'emmenait au lit et roulait sur lui, et puis se relevait et l'inondait de thé – s'il éprouvait un intérêt suffisant". Et il écrivait avec le même brio, en débordant de son siège devant une table tachée de bière dans quelque café enfumé de Fleet Street. Là, un des serveurs italiens le décrivit ainsi : "C'est un homme très intelligent. Il est assis et il rit. Et puis il écrit. Et puis il rit de ce qu'il a écrit."

Dès son premier recueil d'essais, *Le Défenseur*, publié en 1901 alors qu'il avait vingt-sept ans, Chesterton apparaît comme un homme en constant état d'interrogation : non pas un état solennel et méditatif, où l'esprit développe paresseusement une idée page après page et ligne numérotée après ligne numérotée, mais dans un état où l'esprit virevolte, attiré par ici et détourné par là, joyeux et toujours étonné. "Ce qu'il y avait de merveilleux dans l'enfance, a-t-il écrit dans son autobiographie, c'est que tout y était merveille. Ce n'était pas simplement un monde plein de miracles ; c'était un monde miraculeux. Ce qui provoque en moi ce choc, c'est presque tout ce dont je me souviens vraiment ; pas les choses que je penserais les plus dignes de constituer des souvenirs." C'est là un don qu'il semble avoir possédé toute sa vie. Tout ce dont il se souvenait "vraiment" devenait digne de méditation. Aucun sujet ne paraît hors de son atteinte, sinon de son intérêt. Quelle que fût la question, et si sérieuse qu'elle fût, Chesterton refusait la solennité, surtout s'il était sérieux. Dans une lettre à sa future épouse, Frances Blogg, il discute avec gravité de la nature des choses domestiques :

> Mon idée... est de faire d'une maison une réelle allégorie : qu'elle explique réellement sa propre signification essentielle. Des dictons mystiques ou anciens devraient être inscrits sur chaque objet, et plus l'objet sera prosaïque, mieux cela vaudra. "As-Tu envoyé la pluie sur la Terre", sur le porte-parapluies, peut-être sur le parapluie. "Même les cheveux de ta tête sont tous comptés" donnerait un sens considérable aux brosses à cheveux ; les mots concernant "l'eau vive" révéleraient la musique et la sainteté de l'évier ; enfin, on pourrait inscrire "Notre Dieu est un Feu dévorant" au-dessus du foyer de la cuisine, en guise d'assistance aux méditations mystiques de la cuisinière.

Parce que ce qui lui importait, c'étaient les connexions et les relations entre les faits, non les faits en eux-mêmes, l'exactitude – au sens documentaire du terme – était sans importance à ses yeux. Il était sans indulgence pour ce qu'il appelait "les beautés de l'intellect", qui le faisaient désespérer de l'âme d'un homme sérieux. Il comprenait que ses réflexions sur l'Histoire de France ne seraient guère modifiées s'il s'apercevait que Napoléon était né en 1768 au lieu de 1769 – ou du moins que l'année exacte lui importait moins que la petite taille du général et son sale caractère, deux sujets auxquels il pouvait réfléchir avec plaisir et profit. Dans son amusante biographie de Robert Browning, écrite pour la très sage collection des "English Men of Letters", non content de citer le poète de manière erronée, il alla jusqu'à inventer un vers pour l'un de ses poèmes les plus connus, *Mr Sludge le Médium*. Lorsque parut le *Dickens* de Chesterton, George Bernard Shaw lui écrivit une longue lettre où il relevait toute une série d'énormités. Chesterton ne s'en émut pas, et à une époque récente, Peter Ackroyd, l'un des derniers biographes de Dickens, saluait Chesterton, en dépit de ces erreurs, comme le meilleur critique de Dickens.

Il avait commencé à écrire à l'école ; à vingt ans, dans une foulée ininterrompue et presque sans changement de style, il livrait des articles sur les sujets les plus divers à un certain nombre de magazines londoniens tels que *The Bookman* et *The Speaker*. (Bien qu'il fasse état dans son autobiographie de ses débuts dans la revue *Academy* en 1895, il n'existe aucune trace de ses articles dans cette publication cette année-là ; plus tard, *Academy* écrivit non sans aigreur que les livres de Chesterton étaient "toujours et inévitablement assommants".) En ce qui concerne ces premiers talents, il faisait preuve d'une désinvolture caractéristique : "Ayant totalement échoué dans l'apprentissage du dessin ou de la peinture, j'ai troussé avec assez d'aisance quelques critiques des points faibles de Rubens ou des talents mal dirigés du Tintoret. J'ai découvert la plus facile des professions, et je ne l'ai jamais abandonnée."

Ses idées sur la société étaient anti-aristocratiques et vaguement apparentées à celles de l'ancien Parti libéral britannique : il croyait aux boutiquiers honnêtes, aux pauvres convenables et aux riches corrompus, qu'il voyait comme des chameaux insatiables marchant pesamment vers le chas clignotant d'une aiguille. Il attaquait avec vigueur l'arrogance de ceux qui, au nom d'une supériorité de fortune, de sang ou d'éducation, dictaient aux "classes inférieures" (c'est-à-dire "l'humanité sauf nous") les efforts destinés à réformer leur existence. Il se moquait des juges et censeurs qui prétendaient qualifier de "criminels et dégradants" les romans d'aventure à bon marché. "Voici une théorie magistrale, observa-t-il, et c'est une niaiserie." Il faisait le pied de nez à l'égoïsme et à l'indifférence des riches : "Parmi les Très Riches, vous ne trouverez jamais un homme vraiment généreux, même par hasard. Ils peuvent donner leur argent, mais ils ne se donneront jamais eux-mêmes." Il montrait du doigt les politiciens philanthropes qui croyaient savoir mieux que le peuple ce qui était bon pour le peuple. "Cette croyance, écrivit-il, est la plus empoisonnée de toutes les iniquités politiques qui rongent les entrailles du monde." Et, en résumé, il voyait en tous ces grands personnages les citoyens de nations devenues démentes. "Elles se sont habituées à leur propre déraison ; le chaos est leur cosmos ; et le tourbillon est le souffle de leurs narines. Ces nations courent le réel danger de perdre la tête *en masse* ; de se réduire à une vaste vision d'imbécillité, avec des villes chancelantes et des campagnes folles, le tout parsemé de cinglés industrieux." Et là-dessus, avec un panache tout chestertonien, de lancer son *J'accuse* : "L'un de ces pays est l'Angleterre moderne."

Dans ses essais comme dans sa fiction, un sens vigoureux de la justice sociale anime l'écriture. Sa fiction, extension de ses essais, consiste en intrigues bien ficelées qui commencent dans l'horreur mystérieuse, sont animées d'un mouvement insolite, et finissent (toutes sauf ce chef-d'œuvre qu'est *Le Nommé Jeudi*) par une solution raisonnable qui d'une certaine manière, par sa simplicité même, amplifie l'horreur soupçonnée. Ses essais aussi racontent des histoires, dans lesquelles la plupart des personnages, sauf peut-être l'auteur, sont de simples esquisses, les rouages d'une action mémorable. Avec Borges, Chesterton pouvait dire de ses écrits : "Ils ne sont pas, ils n'essaient pas d'être psychologiques." Ce qui compte, ce sont les arguments et les mots qui font exister le texte au moyen d'une rhétorique personnelle, et l'emboîtement d'épisodes formant une arche d'une logique exquise, soutenue par la seule perfection de ses assemblages. Dans l'écriture de Chesterton, l'émotion et la raison – ces sœurs siamoises artificiellement séparées – sont à nouveau une. Par exemple, l'émotion provoquée par la vision, dans un tribunal londonien, d'une femme qui a "négligé ses enfants" trouve son expression parfaite dans la riposte : "et qui paraissait avoir été négligée par quelqu'un ou quelque chose". Ou encore, la colère provoquée par deux policiers qui l'interpellent parce qu'il joue dans les bois avec un couteau, et puis le laissent aller parce qu'il est l'hôte d'un homme riche, l'amène à

conclure : "L'inférence semble douloureusement
évidente : ou bien lancer son couteau dans un
bois solitaire n'est pas une preuve d'infamie, ou
bien connaître un homme riche est une preuve
d'innocence." Ce n'est pas seulement intelligent ;
cela sonne vrai, à la raison comme à l'oreille.

Dans l'ancien débat sur le fond et la forme,
ou le sens et les sons, Chesterton se tenait à mi-
chemin. Il ne suivait qu'en partie l'admones-
tation de la duchesse à Alice : "Prends soin du
sens et les sons prendront soin d'eux-mêmes."
Chesterton croyait que le sens, si on le recherche
comme il convient, peut exploiter les effets des
sons et surgir spontanément du choc de cym-
bales rhétoriques – de l'oxymoron et du paradoxe, de l'hyperbole et de la métonymie. Il
avait tendance à partager l'opinion de Pope,
qui a un jour comparé les tenants du son seul
à ces gens qui vont à l'église "non pour la doctrine, mais pour la musique" (*Essai sur la critique*, 1771). Chesterton aimait la musique des
mots, mais il était conscient de leur capacité
limitée de signification : quelque doctrine qu'ils
pussent annoncer, elle devait par nécessité
rester incomplète, miroitements aléatoires plutôt
qu'éclairs de vérité. Dans son étude du peintre
Watts, il écrit :

> Toute religion et toute philosophie doivent
> certes avoir pour fondement l'affirmation de
> l'autorité ou de l'exactitude de quelque chose.
> Mais on peut se demander s'il est plus sain ou
> plus satisfaisant de fonder notre foi sur l'in-
> faillibilité du pape, ou sur l'infaillibilité du Livre
> de Mormon, que sur cet ahurissant dogme
> moderne de l'infaillibilité du langage humain.
> Chaque fois qu'un homme dit à un autre :
> "Expliquez-nous clairement ce que vous pensez",

il suppose l'infaillibilité du langage : c'est-
à-dire qu'il suppose l'existence d'un schéma
parfait d'expression verbale pour toutes les
humeurs internes et pour toutes les pensées de
l'homme. Chaque fois qu'un homme dit à un
autre : "Prouve ce que tu avances ; défends ta
foi", il suppose l'infaillibilité du langage : c'est-
à-dire qu'il suppose qu'un homme a un mot
pour chaque réalité sur la terre, au ciel ou en
enfer. Il sait qu'on trouve dans l'âme des teintes
plus étonnantes, plus innombrables et plus
indescriptibles que les couleurs d'une forêt en
automne ; il sait que se trouvent au large dans
le monde, où ils rendent d'étranges et terribles
services, des crimes qui n'ont jamais été condamnés et des vertus qui n'ont jamais été bap-
tisées. Et pourtant il croit sérieusement que ces
choses-là peuvent toutes, dans tous leurs tons
et demi-tons, dans tous leurs mélanges et toutes
leurs unions, être représentées avec exactitude
par un système arbitraire de grognements et de
couinements. Il croit que n'importe quel agent
de change civilisé peut véritablement extraire
de lui-même des bruits qui dénotent tous les
mystères de la mémoire et toutes les souffrances
du désir.

C'est, paradoxalement, avec de tels mots,
écrits contre le pouvoir des mots, que Chesterton accroît la confiance du lecteur en ce pouvoir qu'il met en doute.

Ce qui a donné de la cohérence à sa curiosité
éclectique et lui a procuré une mythologie et
un vocabulaire unifiés, c'est l'Eglise catholique,
dont l'immense complexité autorisait des pi-
rouettes verbales qui auraient suscité la désap-
probation du sévère protestantisme. Confrontée
au dépouillement des temples de Cromwell, son
âme turbulente se laissait gaiement attirer par

l'or, le rose et le blanc de Rome, où il voyait le reflet du grand optimisme de l'Eglise. "Jésus-Christ a été crucifié, observait-il, non à cause de ses propos sur Dieu, mais parce qu'il avait dit qu'un homme pouvait en trois jours détruire et rebâtir le Temple." Et il ajoutait : "Tous les grands révolutionnaires, d'Isaïe à Shelley, ont été des optimistes." Il n'avait pas trente ans quand le sacré devint sa grammaire, et après son mariage avec Frances Blogg (catholique romaine et pratiquante assidue) il trouva dans les rigueurs du rituel et les mystères de l'antique religion un contexte et un but pour sa prose ainsi qu'une signification pour l'univers. "L'univers est un problème, pas un théorème, écrivit-il. Et le mot du dernier jour sera QEF – «ce qui était à faire»."

Lorsqu'il était adolescent, élevé dans la religion anglicane, il s'était soudain trouvé dans une humeur morbide apparemment insondable, qu'il appela plus tard un état "d'anarchie morale". Cet accablement s'exprimait par "un besoin insurmontable de noter ou de dessiner des idées ou des images horribles ; une plongée de plus en plus profonde, comme dans un suicide spirituel aveugle" qui l'affecta de façon intermittente jusqu'à sa conversion. Ce qu'étaient exactement ces idées et ces images, nous l'ignorons, mais il n'est pas impossible qu'une ombre, un écho, bien après qu'il était devenu catholique, ait réapparu dans ses dernières œuvres – comme, par exemple, les horreurs énumérées dans *Le Nommé Jeudi*, telles que l'homme "qui avait rêvé toute la nuit qu'il tombait du haut de précipices et s'était réveillé le matin où il devait être pendu" ou le visage qui paraissait si énorme quand on l'approchait qu'on se prenait à craindre qu'à la fin "il ne soit trop grand pour être possible". De telles traces, de même que les inexactitudes dans ses essais, représentent bien ce que Chesterton appelait "le côté obscur du cœur".

Mais son œuvre présente un aspect plus sombre, dont il semble n'avoir pas eu la moindre conscience. Il est impossible de lire Chesterton à fond sans rencontrer de maladroites observations antisémites, antiféministes et racistes qui font un usage assez léger de ces mêmes procédés rhétoriques grâce auxquels ses essais nous paraissent intelligents, émouvants et brillants. Comme si, soudain, une face ténébreuse et laide de la folie collective prenait le pouvoir et obligeait l'écrivain à payer une dette à son époque et aux gens au pouvoir à son époque, en s'imposant au langage du souvenir, en lui dictant des mots guindés, superficiels, odieux. Ce sont des instants où l'on sent que sa mémoire fertile, ce jaillissement d'émerveillement qui était, disait-il, la source de son imagination, ne vient pas de Chesterton, l'individu, mais de l'homme de son temps, membre d'une classe qui parlait avec dérision de "nos amis les Israélites", des "Nègres primitifs" et du "sexe faible". Alors son éclectisme politique perd son individualisme, le paradoxe devient contradiction, et on lit ses *bons mots*\* comme de simples slogans conservateurs. Si Chesterton a affirmé son hostilité à Hitler, il a proféré aussi de lamentables déclarations antisémites :

> *J'aime bien les Juifs*
> *Les Juifs aiment l'argent*
> *Peu importe lequel*
> *J'aime bien les Juifs*

\* En français dans le texte. *(N.d.T.)*

*Oh, mais quand ils perdent,*
*Sacrebleu, que c'est drôle.*

Il s'est opposé à la très impérialiste guerre des Boers à un moment où même G. B. Shaw et H. G. Wells l'approuvaient, mais son anti-impérialisme était issu de la conviction que rien d'étranger ne pouvait faire partie de l'Angleterre ; les esprits anglais ne profiteraient pas, pensait-il, "de l'étude de Wagga-Wagga et de Tombouctou". Il croyait avec passion à la liberté pour tous, mais riait des efforts des femmes pour se libérer : "Vingt millions de jeunes femmes se dressèrent en criant : on ne nous dictera pas [notre conduite], et entreprirent de devenir sténographes." Si drôle que soit la phrase, le comique en est gâté par le fait d'avoir été écrite en un temps de répression brutale des suffragettes, celui des derniers sursauts d'un impérialisme vorace et de l'apparition du Troisième Reich. Et là, le langage ne sonne plus vrai. Chesterton doit l'avoir su, puisque, en admirable contradiction avec ces déclarations, il a écrit à propos du danger moral qu'elles comportent : "Il existe, à l'arrière-plan, une terrible loi de métamorphose qui veut que si l'âme se penche trop ostensiblement pour examiner quelque chose, elle ne s'en relève jamais."

Il y a des écrivains qui, dans les passages les plus compatissants, les plus sensibles de leurs écrits, font l'effet de *poseurs* ; ils ne paraissent humains que dans leurs propos les plus odieux : Lautréamont, par exemple, lorsqu'il décrit la torture délibérée d'un enfant, et Jonathan Swift, dans ses satires brutales. D'autres, sous leurs emportements, laissent presque à contrecœur entrevoir leur humanité, comme par distraction ou par erreur, jusque dans leur misanthropie : Léon Bloy, Ezra Pound, Philip Larkin. Leurs éclats ont quelque chose de forcé. Chesterton n'appartient ni à l'une ni à l'autre de ces catégories ; c'est lui-même qu'il réfute, inlassablement, avec une rigueur mortelle. Un soir où son contradicteur dans un débat ne se présentait pas, Chesterton défendit les deux points de vue dans une discussion brillante du pour et du contre de la question du jour. De même, ses observations les plus étroites d'esprit sont démolies quelques pages plus loin par ses propres arguments. L'homme qui rit d'un homme parce qu'il est noir ou d'une femme parce qu'elle veut l'indépendance est le même qui écrit : "J'imagine très bien qu'un homme se coupe la gorge parce qu'il a assisté à la flagellation d'une femme dénudée à une époque guère lointaine de l'histoire d'Angleterre et d'Irlande, ou vu un nègre brûlé vif comme cela se fait encore aux Etats-Unis. Mais un peu de cette honte affreuse gît en chacun d'entre nous."

Il est curieux qu'un écrivain aussi fertile et qui suscite autant la réflexion n'ait quasiment pas eu de successeurs. Les Anglais l'ont lu une fois et oublié, ou rangé au rayon des anciens ; les Français l'ont admiré (l'admirent encore), mais de loin. L'un des rares auteurs qui a consciemment adopté la voix de Chesterton est Borges. Borges avait dévoré et digéré Chesterton, et lui rendit l'hommage de le raconter à nouveau, en espagnol, en prenant pour modèle les histoires du père Brown pour ses propres récits policiers et en appliquant à ses essais le style de discours de Chesterton. En 1960, Borges a écrit une courte fable, *Le Complot*, dans laquelle le destin de Jules César, qui meurt en prononçant les mots : "Toi aussi, mon fils !" à l'intention de son bien-aimé Brutus, est comparé à celui d'un gaucho argentin, acculé et frappé à coups de couteau par une poignée d'autres gauchos. Dans sa chute, il reconnaît son filleul parmi les assaillants et dit "avec un doux reproche et une lente surprise" (Borges ajoute cet avertissement : "Ces mots doivent être entendus, non lus") : *"Pero, che !"* Le récit se termine par ces mots : "Il est tué et ne sait pas qu'il doit mourir pour qu'une scène se répète." *"Pero, che !"* est intraduisible, sinon que, quelque quarante ans plus tôt, Chesterton, cherchant une équivalence, avait écrit : "Comme si on pouvait traduire le *Et tu, Brute* de César par «Quoi, *toi* ici ?»." L'expression argentine utilisée par Borges reflète exactement cette incrédulité laconique.

Que les événements et leurs causes changent en fonction de la façon dont on les raconte, représentation de leurs traits communs ou de noirs océans de différences ; que notre compréhension de l'univers puisse dépendre de l'arrangement de mots sur une page et de l'inflexion donnée à ces mots ; que les mots, à la fin, soient tout ce que nous avons pour nous défendre et que la valeur des mots, comme celle de nos individus mortels, se cache dans leur faillibilité même et dans leur élégante fragilité – tout cela, Chesterton le savait et n'a cessé d'en rendre compte. Que nous ayons ou non le courage d'être d'accord avec lui, voilà, manifestement, une autre question.

# LES IRRÉSOLUTIONS DE CYNTHIA OZICK

*La fiction n'est que découverte...*
*Les essais en savent trop.*

CYNTHIA OZICK,
préface à *Art & Ardor.*

L ES ENFANTS SAVENT ce que la plupart des adultes ont oublié ; que la réalité, c'est tout ce qui nous paraît réel. Que bien qu'on ne puisse nier le monde extérieur (ainsi que l'a démontré le Dr Johnson en frappant du pied une pierre) on peut, par un éclairage et un arrangement nouveaux, lui donner la signification que nous voulons. Les règles de la création de nos réalités individuelles sont des règles magiques : elles dépendent de la conviction et doivent être observées avec une rigueur et un sérieux absolus. Les écrivains ont en commun avec les enfants et les fous ces actes quotidiens de création qui, au mieux, figurent notre vision acceptée du monde. Dickens est l'auteur du Londres victorien, et Mark Twain a créé le Mississipi.

En 1985, je préparais pour la radio canadienne une série d'émissions (jamais achevée) sur le thème prétentieux de "l'Ecrivain et Dieu". Ma liste d'écrivains comprenait Bernard Malamud, Borges (qui me fit observer que des goûts littéraires de Dieu nous ne pouvons rien savoir),

Elie Wiesel, Angela Carter (qui éclata de rire dans le micro dès ma première question, déclara qu'elle n'avait aucune idée de ce que j'avais en tête et mit joyeusement fin à l'interview) et Cynthia Ozick.

A son arrivée dans le studio, Ozick paraissait un peu incongrue : petite, timide, avec une coiffure à la Richard III encadrant des lunettes à monture sombre. "Je suis divisée en deux", dit-elle, et puis, comme pour s'excuser : "C'est le cas de la plupart des gens." Elle s'expliqua : "Je suis pour moitié une citoyenne qui vit dans le monde, et pour moitié écrivain. La citoyenne entretient avec Dieu un certain rapport, et l'écrivain un rapport tout différent. En tant que citoyenne, je suis impressionnée par le Deutéronome, XXIX, 29 : Les choses cachées sont à Yahweh, notre Dieu ; les choses révélées sont pour nous et pour nos enfants, à jamais. En tant que citoyenne, je ne me sens pas autorisée à réfléchir à ces choses cachées, mystiques. Je suis juive ; je dois donc être agnostique. Mais, en tant qu'écrivain, cela m'est impossible. En tant qu'écrivain, je suis gnostique, et l'inconnu est le merveilleux dont je me nourris et m'abreuve." Plus loin, elle développa la définition : "Je suis païenne. L'écrivain en moi fuit Dieu et va vers les dieux."

Dans le judaïsme, Dieu seul est le Créateur. La création par une autre main que celle de Dieu empiéterait sérieusement sur Son unité essentielle. Dieu est un auteur jaloux qui n'admet aucune concurrence. L'Artisan divin, le Démiurge des platoniciens doit être Un. Mais au nombre des dieux païens, il y a toujours place pour un de plus : les artisans divins sont nombreux.

Le thème de la création (qui crée ? qu'est-ce qui est créé ? comment se passe la création ?) parcourt l'œuvre d'Ozick à la façon d'un fil rouge. Il la conduit à se demander, dans ses superbes livres d'essais, tels que *Art & Ardor* et *Metaphor & Memory*, comment écrivains et lecteurs créent leur monde imaginaire. Il la conduit, en de délicieux récits et nouvelles (rassemblés, par exemple, dans *Le Rabbi païen* et dans *The Puttermesser Papers*), aux activités visionnaires de ses personnages. Il la conduit, dans son roman *La Galaxie cannibale*, sous les frondaisons bourgeonnantes de la paternité-maternité et de l'éducation. Il la contraint, dans *Le Messie de Stockholm*, à élaborer une progression infinie de créations, de poules et d'œufs littéraires.

Les essais d'Ozick sont souvent issus d'articles, écrits en général pour les pages littéraires du *New York Times* et de la *New Republic*. La plupart du temps, selon mon expérience, le lecteur d'articles critiques se demande à quoi peuvent bien servir ces prétendus Virgile qui se donnent pour mission de nous guider au travers de l'enfer de tel roman ou du purgatoire de tel mémoire ? Quel besoin avons-nous de quelqu'un qui lit par-dessus notre épaule, en gloussant, en pleurnichant ou en piquant des crises de jubilation ou de dégoût ? Rien ne peut remplacer notre propre lecture, et pourtant le préambule ou la postface qu'un critique offre à un texte peut – et, parfois, réussit à – culbuter un livre de façon rafraîchissante et éclairante. En ce qui me concerne, tel a toujours été le cas à la lecture d'un des articles d'Ozick.

Prenons, par exemple, son compte rendu des *Naufragés et les Rescapés*, de Primo Levi, inclus dans *Metaphor & Memory*. Elle commence par les données essentielles : qui était Primo Levi ("un chimiste juif italien de Turin"), les faits caractéristiques de sa vie ("il fut libéré d'Auschwitz par une unité militaire soviétique en janvier 1945, à l'âge de vingt-cinq ans") et en quoi consiste son œuvre écrite ("dès ce moment [...] et jusque peu avant sa mort en avril 1987, il ne cessa de rappeler, d'examiner, de raisonner, de rapporter – de raconter l'atroce histoire – dans un livre après l'autre"). Jusqu'ici, tout va bien. Mais, aussitôt après, Ozick fait son premier saut. Elle cite l'épigraphe de Coleridge que Levi a choisie pour son dernier livre :

*Depuis lors, à une heure incertaine,*
*Cette souffrance revient,*
*Et jusqu'à ce que mon atroce histoire soit ra-*
   *contée*
*Ce cœur en moi brûle.*

Et, après avoir observé que ces mots "n'ont encore jamais résonné avec une exigence aussi peu métaphorique et aussi contemporaine, ni paru aussi cruels", Ozick conclut que la mort de Levi, tombé des quatre étages d'un escalier en colimaçon, doit avoir été un suicide. "La composition de ce dernier manuscrit était terminée, le cœur consumé ; il n'y avait plus rien à raconter."

Les lecteurs ne doivent de justification à personne qu'à eux-mêmes, et sur demande seulement. Mais un critique est un lecteur au deuxième degré, il guide le lecteur non dans le livre, mais dans la lecture de ce livre qu'a faite le critique. Il faut donc qu'Ozick explique son explication.

Elle procède pour cela à une lecture au troisième degré. Elle cite Levi à propos du suicide d'un autre écrivain juif, Jean Améry, victime lui aussi des nazis. Levi supposait qu'Améry s'était tué en conséquence tardive des coups de poing échangés avec un criminel polonais au camp de concentration. Ceux qui "échangent des coups" avec le monde entier, a écrit Levi, y gagnent la dignité mais ils paient pour elle un prix très élevé car ils sont certains d'être vaincus. Il faut avoir cela à l'esprit, dit Ozick très justement, lorsqu'on aborde le suicide de Primo Levi. Parce que, les raconteurs d'histoires le savent bien, toute histoire a une autre face que le raconteur ne voit pas toujours. Et au moyen d'une assocation de citations extraites des *Naufragés et les Rescapés*, de Levi, et de réflexions sur ce livre, Ozick place devant nous le texte fantôme de Levi. Levi, conclut-elle, qui se sentait "un homme éloigné en quelque sorte de la passion de revanche", doit avoir soudain pris conscience de l'assoupissement de sa fureur. "Je déplore, écrit-elle, qu'il ait considéré comme équivalentes fureur – cette fureur qui plaide pour la miséricorde – et autodestruction." Ozick a offert au lecteur un autre éclairage à sa lecture de l'histoire de Levi.

C'est cela que j'appelle l'intelligence d'Ozick, une intelligence qui a brillé d'une telle clarté lors de notre première rencontre. Elle n'essaie pas de remplacer la relation du lecteur avec un livre, ni de colorer ses émotions. Sa tâche (et sa réussite y est admirable) consiste à appliquer à de nouveaux usages les métaphores du texte, à élargir les significations, à modifier l'angle des éclairages, à rechercher réverbérations et échos. Après le compte rendu d'Ozick, le livre de Levi n'est plus seulement un témoignage sur Auschwitz mais aussi une interrogation sur la quête de la vérité, sur la valeur de l'agression, sur le sens de la revanche, sur des solutions qui en disent plus sur la quête elle-même que sur la question triviale de la réussite ou de l'échec.

C'est une chose à laquelle nous, à notre époque, nous sommes habitués, mais à laquelle il me semble que nous n'avons pas assez réfléchi. Dans nos récits, le héros atteint rarement son but. L'épopée du héros, c'est l'épreuve elle-même, indépendante de la conclusion souvent malheureuse. L'échec, de nos jours, paraît plus fidèle à la réalité que la réussite.

La chronique d'une telle existence est le thème apparent du roman d'Ozick intitulé *La Galaxie cannibale*. Le héros en est Joseph Brill, un instituteur. Nous le découvrons, âgé de cinquante-huit ans, directeur de l'école primaire Edmond Fleg qu'il a fondée quelque part aux Etats-Unis. Nous sommes ramenés en arrière dans sa vie jusqu'à son enfance à Paris, où son père poissonnier semble manifester plus de sympathie que sa mère un peu extravagante envers le goût du jeune Brill pour la littérature, lui qui est capable de s'émerveiller "des écailles irisées d'une quelconque morue". Nous sommes témoins des escapades du garçon du côté de la culture – le musée Carnavalet, un voyage à Londres et la rencontre avec un écrivain qui ressemble à E. M. Forster. Enfin, la guerre. Brill échappe aux descentes des nazis et des nonnes le cachent dans une cave tandis que, à son insu (mais nous, lecteurs, nous savons), sa petite sœur hurle pendant toute l'infernale journée au Vél'd'hiv'. Après la guerre, il arrive aux Etats-Unis et fonde son école. C'est alors que commence le roman.

Ozick manifeste son intention biographique à travers deux épigraphes : l'une de Yehuda Amichai, qui demande où peut se trouver sa place

entre les deux moitiés bien assorties de ce
monde, ceux qui aiment et ceux qui haïssent,
et l'autre d'Emily Dickinson : "Le restant de la
vie pour voir ! / Passé minuit ! Passée l'étoile du
matin !" Pourtant, la biographie de Brill n'est
que le sujet apparent. Tout au long du livre,
telle la base écarlate que les peintres hollandais
appliquaient sur leurs toiles, transparaît une
histoire plus cruelle : une histoire de galaxies
dévorées, de traditions englouties, de changements de générations et d'âmes perdues. La vie
de Brill devient le point de vue du haut duquel
Ozick nous fait découvrir une fresque épique,
intemporelle et sans fin. Et, parce que l'auteur
est Cynthia Ozick, cette épopée est, bien entendu,
une histoire des Juifs.

Brill représente l'un des multiples aspects
du Juif survivant, un homme qui tente de s'accommoder de la réalité et n'y réussit pas, non
parce que sa tâche est vouée à l'échec (le fata-
lisme serait "contraire à notre enseignement",
dit Brill), mais parce qu'elle est impossible. Le
compromis, la voie médiane, ne mène nulle
part. Et Brill est essentiellement un homme de
compromis.

Il choisit d'établir pour son école un *curricu-
lum* double qui combine les traditions juive et
française ; il l'installe au cœur de l'Amérique,
au centre d'un lac, "comme s'il avait horreur des
côtes et des marges, des bords et des extrêmes
de toute espèce". Sur cette île, Brill ne parvient
jamais à soutenir l'intérêt de ses élèves, pas
plus qu'à reconnaître le génie lorsqu'il se présente. Quand la célèbre "logicienne linguiste
imagière" Hester Lift enrôle sa fille Beulah, Brill,
tel le roi Lear, renvoie l'enfant soumise. Il préfère
placer tous ses espoirs en son fils, qui finit par

étudier l'administration et le commerce dans une école de Miami.

Et pourtant, même sur cette voie médiane qu'il s'est choisie, Brill est animé par une force vitale : le besoin de survivre. Pas simplement d'exister, mais aussi de grandir et de s'accroître, alors qu'en tant que Juif il est menacé par la galaxie cannibale de la culture chrétienne. La survie, dans le cas de Brill, est atteinte par assimilation – une assimilation à l'envers, qui consiste à saisir le monde extérieur et à se l'approprier, à cannibaliser le cannibale.

La découverte surprenante qu'Ozick nous aide à faire, c'est que, dans le meilleur des cas, la survie peut être un événement secret : le survivant lui-même n'a pas besoin d'en être conscient. Le fils de Brill découvre sa propre voie dans le commerce ; Hester Lift triomphe selon ses propres termes ; Beulah accomplit sa promesse ; Brill, ce raté, réussit lui aussi, même si ce n'est pas de son fait, parce que son école a permis la réussite de Beulah. Nous avons beau préférer l'oublier, ou le nier, ou prétendre l'ignorer (soutient Ozick), Dieu est généreux. Peut-être ses livres parlent-ils surtout de la générosité de Dieu.

Dans son introduction au chef-d'œuvre de Herbert Read, *The Green Child (L'Enfant vert)*, Graham Greene dit que l'art est toujours l'aboutissement d'un combat. Mais est-ce toujours vrai ? Sûrement, parfois, c'est le combat proprement dit qui, non résolu, devient une œuvre d'art, sans proposer de dénouement, attendant, espérant contre tout espoir le Messie de sa solution. La description de ce combat, au cours de laquelle l'auteur ne donne pas de réponses mais pose des questions, en déployant des possibilités et en ne résolvant rien, est dans de nombreux cas, me semble-t-il, plus satisfaisante qu'une littérature de dénouement, qui sent souvent sa fable morale.

Toutes les œuvres de fiction d'Ozick ont en commun cette manière de déploiement. Dans *Le Messie de Stockholm*, par exemple, elle invente l'histoire d'un homme qui invente son histoire – son nom, sa naissance, ses ancêtres –, en remodelant sa vie quotidienne de manière à la rendre irréelle pour les autres mais réelle pour lui-même. Pour Lars Andemening, le monde extérieur est "un individu venu de Porlock". Lars, comme Coleridge, est un rêveur.

Il est également critique littéraire pour un journal suédois mineur. Il n'a pas connu ses parents – orphelin, il a été passé en fraude en Suède pendant la terreur nazie – mais il s'est persuadé que son père était le grand écrivain polonais Bruno Schulz, assassiné par les SS en 1942. Lars ne possède aucune preuve de cette parenté en dehors de sa conviction personnelle, qui a fait de lui un misanthrope modéré. Sa seule confidente est une libraire allemande nommée Heidi, une femme protégée de l'affection comme du chagrin par un cocon d'amertume. Heidi procure à Lars d'abord un professeur de polonais, puis des livres polonais afin qu'il puisse apprendre la langue de son père d'élection.

L'œuvre entière de Schulz consiste en deux volumes, *Le Sanatorium au croque-mort* et *Les Boutiques de cannelle*, plus quelques lettres et dessins, et enfin un roman disparu que les érudits considèrent comme le probable chef-d'œuvre de Schulz, *Le Messie*.

Un jour, Heidi raconte à Lars qu'une femme qui dit s'appeler Adela (le nom d'un personnage des livres de Schulz) est arrivée de nulle part avec le manuscrit perdu dans un sac en plastique ; elle se dit la fille de Schulz. De l'avis de Heidi et de son mari, le Dr Eklund, *Le Messie* a réapparu. La réalité de Lars, donc sa santé mentale, est menacée. "Il n'y a pas de place dans l'histoire pour un autre enfant, déclare-t-il à Heidi. Ce n'est pas possible. Cela ne se peut pas." Pour que l'histoire de Lars ait un sens dramatique, il ne peut y avoir qu'un enfant, Lars. Adela doit donc être une menteuse et *Le Messie*, ce *Messie* tant et si avidement attendu, doit être un faux.

Le choix de Schulz comme père de Lars n'est pas fortuit : l'œuvre de Schulz est habitée, voire possédée par l'image du Père, un homme qui ne croit pas que la création soit la prérogative exclusive de Dieu. Dans une citation placée par Ozick au début de son livre, le père de Schulz dit : "Il n'y a pas de matière morte [...] l'absence de vie n'est qu'un déguisement derrière lequel se dissimulent des formes de vie inconnues [...] même si les méthodes classiques de création devaient se révéler inaccessibles à jamais, il demeure encore quelques méthodes illégales, une infinité de méthodes hérétiques et criminelles." Ozick la citoyenne, la Juive, doit avoir assisté en témoin horrifié au déroulement par Ozick l'écrivain, la païenne, de sa chaîne de créations en série dans l'histoire de Lars.

On pourrait dire que Lars est entouré de miroirs. D'abord, il y a Ozick, qui le crée, en lui attribuant "un créateur indifférent" dont la main lui a "barbouillé la bouche, le menton et la pomme d'Adam". Ensuite vient Lars lui-même, critique et créateur, quoique reconnu comme de second plan. Les critiques (tels que moi) sont des lecteurs envieux qui croient à la parenté subrogée et créent des textes à partir de la semence d'autrui ; Lars, après avoir dévoré un livre dont il doit rendre compte, s'endort avec le sentiment d'être "étrangement gros", comme s'il était porteur des mots créés par l'écrivain. A son réveil, il peut écrire son article presque d'une traite. Lars est aussi le créateur de son propre nom (il se donne en secret celui de Lazarus Baruch), de son propre temps (en vivant surtout la nuit et en dormant l'après-midi, en faisant deux jours d'un seul en coupant la journée par une sieste), de ses propres ancêtres. En troisième place, on trouve Heidi et le Dr Eklund, qui créent autour de l'univers de Lars une réalité plus mesquine et plus criarde. Et enfin, quelque part dans cette série de créateurs-créations, il y a Dieu.

C'est Dieu qui fournit le contraste. Au XVIIe siècle, Judah Loew ben Bezabel, rabbin de Prague, fabriqua un homme artificel, un "golem" qui pouvait, disait-on, accomplir quelques tâches mineures dans la synagogue, telles que balayer et sonner les cloches. Mais quelque chose manquait au golem. Aux yeux de ceux qui s'en émerveillaient, la créature était plus un objet qu'une personne. Finalement, ému de pitié ou de terreur, son créateur le détruisit.

La réalité de Lars ressemble au Golem : à Lars, elle peut sembler plus réelle que la vie réelle, mais elle est dépourvue de l'immanence bardée de fer d'une réalité créée par Dieu. Lars le sait et refuse de voir la dernière personne survivante ayant fait partie de la vie de Schulz : Jozefina, la fiancée de Schulz, qui vit désormais à Londres. Lars ne la rencontrera pas, parce que sa réalité à lui est beaucoup trop fragile pour supporter la confrontation. Schulz a lui-même déclaré (Lars et Heidi le citent tous deux) que "la réalité est aussi mince que du papier et trahit par toutes ses craquelures son caractère imitatif". Lars, comme Dieu, n'admet d'autre réalité que la sienne. "C'est un prêtre de l'original, dit Heidi à son propos. Ce qu'il veut, c'est l'original des choses."

Lars accuse les Eklund de vouloir "faire concurrence à Dieu", sans se rendre compte (ou en ne se rendant compte que vaguement) qu'il est, lui, coupable de ce péché. Lars pèche également en imaginant que Dieu a besoin de notre foi pour exister. Lors une discussion sur la nécessité d'informer le monde de l'apparition du *Messie*, Heidi insiste : "Il faut *dire* aux gens qu'il existe." Et puis : "Si on n'y croit pas, il pourrait aussi bien ne pas exister." "On dirait qu'il s'agit de Dieu", est la réponse blasphématoire de Lars.

Il est des livres destinés à n'avoir pas de fin : ils sont insondables, ils ont la richesse des mystères non résolus. Chaque fois que nous les lisons et croyons avoir répondu à toutes leurs questions, de nouvelles questions se présentent, et puis d'autres encore. *Le Messie de Stockholm* est de ces livres. On peut, pour une part, attribuer cette lecture illimitée à la tradition talmudique d'Ozick, laquelle ne laisse aucun mot inactif et poursuit chaque signification jusqu'en son cœur, comme si l'auteur (ainsi que le lecteur) était persuadé que la Création tout entière, y compris les romans, était à l'infini enceinte de révélations.

Mais il y a plus. Quand, à la fin du livre, Lars se trouve face à face avec sa douleur, comme si son père fantôme disparaissait "dans le couloir étroit de son crâne" en serrant dans sa main *Le Messie* a jamais redisparu, nous comprenons que l'univers rêvé de Lars s'est écroulé, et nous pleurons la perte qu'il subit – mais demeure aussi en nous une curieuse sensation d'émerveillement. Parce que, en dépit des écrivains assassinés et des hommes orphelins, Ozick nous montre avec conviction, quelque part entre stupeur et foi, la beauté possible de l'univers.

# IX
## SE DÉBARRASSER DES ARTISTES

"Et de quoi se nourrissent-ils ?"

"De barbillons, de carpillons et de tortillons."

Une nouvelle objection vint à l'esprit d'Alice.

"Et s'ils n'en trouvent pas ?" demanda-t-elle.

"En ce cas, ils succombent, évidemment."

"Mais cela doit arriver souvent",
fit observer Alice, pensive.

"Cela arrive toujours", dit le moucheron.

*De l'autre côté du miroir*, chapitre III

## JONAS ET LA BALEINE
### SERMON

*à la mémoire de Paul Fleck*

*"Oh Temps, Force, Argent et Pa-
tience !"*

HERMAN MELVILLE,
*Moby Dick*, chapitre XXXII.

DE TOUS LES PROPHÈTES grondeurs ou
gémissants qui hantent les pages de
l'Ancien Testament, je n'en vois aucun
d'aussi curieux que le prophète connu sous le
nom de Jonas. J'aime bien Jonas. J'ai de l'affection pour Jonas, malgré sa réputation posthume
de porte-malheur. Je crois que j'ai découvert ce
qu'il y avait en lui qui mettait les gens mal à
l'aise en sa présence. Je crois que Jonas avait ce
qu'au XIXe siècle on appelait un tempérament
artistique. Je crois que Jonas était un artiste.

La première fois que j'ai entendu l'histoire de
Jonas, c'était de la bouche d'un grand-oncle qui
avait la désagréable habitude de cracher dans
son mouchoir pendant qu'il parlait. Il pouvait
revendiquer une mince érudition juive qui,
pensions-nous, n'allait guère plus loin que les
quelques versets qu'il nous avait fait apprendre
par cœur pour notre *bar mitzvah*. Mais, parfois,

il racontait bien, et si l'on ne regardait pas trop la salive qui s'accumulait aux coins de sa bouche, l'expérience pouvait être très divertissante. L'histoire de Jonas survint un jour où je me montrais particulièrement cabochard et refusais de faire l'une ou l'autre chose qu'on m'avait demandée pour la trente-six millième fois. "Tout à fait comme Jonas", dit mon grand-oncle en portant son mouchoir à sa bouche, en y crachant de bon cœur et en fourrant le mouchoir au fond de sa poche. "Toujours non, non, non. Qu'est-ce que tu deviendras quand tu seras grand ? Un anarchiste ?" Pour mon grand-oncle qui, en dépit des pogroms, avait toujours voué au tsar une bizarre admiration, il n'existait rien de pire qu'un anarchiste, sinon peut-être un journaliste. Il disait que les journalistes étaient tous des voyeurs et des fouineurs, et que si l'on souhaitait savoir ce qui se passait dans le monde, on pouvait l'apprendre de ses amis au café. Ce qu'il faisait, jour après jour, sauf, bien entendu, le jour du sabbat.

L'histoire de Jonas a sans doute été écrite vers le Ve ou le IVe siècle avant notre ère. Le Livre de Jonas est l'un des plus courts de la Bible – et l'un des plus étranges. Il raconte comment le prophète Jonas reçut de Dieu l'ordre d'aller prêcher contre la ville de Ninive, dont la méchanceté était montée à Ses oreilles. Mais Jonas refusa, car il savait que les Ninivites se repentiraient et que Dieu leur pardonnerait. Pour échapper à l'ordre divin, Jonas sauta sur un bateau en route pour Tharsis. Une terrible tempête s'éleva, les matelots gémissaient de désespoir et Jonas, se doutant qu'il était la cause de cette fureur météorologique, leur demanda de le jeter à la mer pour calmer les flots. Les matelots obéirent, la tempête s'apaisa et Jonas fut avalé par un

énorme poisson envoyé par Dieu à cette fin.
Là, dans les entrailles de la bête, Jonas demeura
pendant trois longs jours et trois longues nuits.
Le quatrième jour, Dieu commanda au poisson
de vomir Jonas sur la terre ferme et, de nouveau, le Seigneur ordonna à Jonas de se rendre
à Ninive et de parler au peuple. Cette fois, Jonas
obéit. Le roi de Ninive entendit l'avertissement,
se repentit aussitôt, et la ville fut sauvée. Mais
Jonas était furieux contre le Seigneur et partit
dans le désert à l'est de la ville, où il se bâtit
une sorte de hutte et s'assit pour attendre voir
ce qu'il adviendrait de Ninive repentie. Le Seigneur fit alors pousser une plante qui protégea
Jonas du soleil. Jonas exprima sa gratitude pour
le cadeau divin mais, le lendemain matin, le
Seigneur fit dépérir la plante. Le soleil et le vent
accablèrent Jonas et, tout défaillant, il dit au Seigneur que pour lui mieux valait mourir. Alors le
Seigneur parla à Jonas et lui dit : Tu te désoles
parce que j'ai tué une simple plante et pourtant
tu aurais voulu que je détruise tous les habitants
de Ninive. Aurais-je dû épargner une plante
mais ne pas épargner ces gens "qui ne distin-
guent pas leur droite de leur gauche", *et* aussi
un bétail nombreux ? C'est sur cette question,
qui reste sans réponse, que s'achève Le livre de
Jonas.

   Je suis fasciné par la raison du refus de Jonas
de prophétiser à Ninive. L'idée que Jonas s'abs-
tienne de jouer le rôle d'inspiration divine qui
est le sien *parce qu'*il sait que son auditoire se
repentirait et serait donc absous doit paraître
incompréhensible à tout autre qu'un artiste. Jonas
savait qu'à Ninive la société avait deux attitudes
vis-à-vis de ses artistes : ou bien elle entendait
l'accusation contenue dans l'œuvre d'un artiste

et reprochait à celui-ci les maux dont la société se trouvait accusée, ou bien elle assimilait l'œuvre de l'artiste parce que, estimé en dinars et encadré avec soin, l'art pouvait constituer une décoration plaisante. Dans de telles circonstances, Jonas le savait bien, nul artiste ne peut gagner.

S'il avait eu le choix entre la création d'une accusation ou d'un décor, Jonas aurait sans doute préféré l'accusation. Comme la plupart des artistes, ce que Jonas voulait vraiment, c'était atteindre les cœurs languissants de ses auditeurs, les toucher, éveiller en eux quelque chose de vaguement connu et pourtant tout à fait mystérieux, perturber leurs rêves et hanter leurs veilles. Ce qu'il ne voulait assurément pas, de toute façon, c'était leur repentir. Que ses auditeurs se disent simplement l'un à l'autre : "Tout est pardonné, oublié, enterrons le passé, ne parlons plus de l'injustice ni du besoin de rétributions, des restrictions aux programmes d'éducation et de santé, de l'inégalité de la taxation et de l'emploi ; qu'exploiteurs et exploités se serrent la main, et en avant vers notre prochaine heure glorieuse consacrée à l'argent" – non, cela, Jonas ne le voulait assurément pas. Nadine Gordimer, dont Jonas n'avait jamais entendu parler, a dit qu'il ne pouvait y avoir pire destin pour un écrivain que de ne pas être exécré par une société corrompue. Jonas ne souhaitait pas subir ce sort annihilant.

Et surtout, Jonas était conscient de la guerre incessante que se livraient à Ninive les politiciens et les artistes, une guerre dans laquelle il semblait à Jonas que tous les efforts des artistes (en dehors des efforts exigés par leur art) devenaient futiles en dernier ressort car ils avaient pour cadre l'arène politique. Il était notoire que les artistes ninivites (qui ne s'étaient jamais lassés de la poursuite de leur art) se fatiguaient vite de lutter contre les bureaucrates et les banques, et que les rares héros qui avaient continué le combat contre les secrétaires d'Etat corrompus et les larbins royaux ne l'avaient bien souvent fait qu'aux dépens de leur art et de leur santé mentale à la fois. Il était très difficile de revenir à son atelier ou à ses tablettes de glaise après une journée de réunions de comités. Les bureaucrates de Ninive comptaient là-dessus, bien sûr, et le retard comptait parmi leurs tactiques les plus efficaces : retard dans les accords, retard dans l'attribution des fonds, retard des contrats, retard des réponses claires. Si l'on attendait assez longtemps, disaient-ils, la colère de l'artiste s'atténuerait, ou se transformerait assez mystérieusement en énergie créatrice : l'artiste s'en irait écrire un poème, créer une installation, rêver une danse. Toutes ces choses-là ne représentaient qu'un danger minime pour les banques et les sociétés privées. A dire vrai, tous les hommes d'affaires le savaient bien, cette rage artistique s'était souvent muée en marchandise échangeable. "Pensez, disaient souvent les Ninivites, à ce que vous donneriez aujourd'hui pour l'œuvre de peintres qui de leur temps avaient à peine de quoi acheter de la peinture, et moins encore de quoi manger. Pour un artiste, ajoutaient-ils, sagaces, la célébrité posthume est en soi une récompense."

Mais le grand triomphe des politiciens ninivites était d'avoir réussi à obtenir des artistes qu'ils travaillent contre eux-mêmes. Ninive était si bien persuadée de l'idée que la richesse était le but de la cité et que l'art, puisqu'il n'est pas immédiatement producteur de richesse, était une activité de peu de mérite, que les artistes en étaient arrivés à croire qu'ils devaient eux aussi se payer leur place en ce monde en produisant un art rentable, en désapprouvant l'échec et le manque de reconnaissance et, avant tout, en s'efforçant de plaire à ceux qui, étant riches, se trouvaient en situation de pouvoir. On attendait donc des plasticiens qu'ils produisent des œuvres plus plaisantes, des compositeurs qu'ils composent des musiques dont on puisse chantonner les thèmes, des écrivains qu'ils inventent des scénarios pas trop déprimants.

A une époque très lointaine, durant de courtes périodes pendant lesquelles les bureaucrates sommeillaient, des fonds avaient été attribués à certaines causes artistiques par des rois ninivites au cœur tendre ou à l'esprit faible. Depuis cette époque, des officiels plus consciencieux avaient corrigé cette négligence financière et taillé vigoureusement dans les sommes allouées. Bien entendu, aucun officiel n'aurait admis la moindre modification du soutien accordé à l'art par le gouvernement, et pourtant le ministre ninivite des Finances avait réussi à réduire à presque rien le montant attribué aux arts, en même temps qu'il faisait état d'un accroissement considérable de ces mêmes fonds dans les comptes rendus officiels. Il obtenait ce résultat grâce à certains procédés empruntés aux poètes ninivites (dont les politiciens pillaient les outils avec entrain, tout en méprisant les poètes qui les avaient inventés). La métonymie, par exemple, ce procédé en vertu duquel un poète utilise une partie ou un attribut d'une chose pour la représenter ("couronne" pour "roi", par exemple), permit au secrétaire aux provisions de réduire les subsides consacrés à l'achat de matériel pour les artistes. Tout ce qu'un artiste, quel qu'il fût et quels que fussent ses besoins, recevait désormais de la Cité, c'était une brosse n° 4 en poils de rat, puisque dans le vocabulaire officiel du secrétaire le mot "brosse" représentait "l'ensemble de l'équipement d'un artiste". La métaphore, cet outil poétique commun entre tous, était utilisée très efficacement par ces mages financiers. Pour rappeler un cas célèbre, une somme de dix mille dinars d'or avait été réservée pour le logement des artistes âgés. Par une simple redéfinition des chameaux, employés dans les transports publics, sous l'appellation de "logements temporaires", le ministre des Finances put décompter le coût de l'entretien des chameaux (dont la ville de Ninive était responsable) de la somme allouée aux logements des artistes, puisque les artistes âgés se servaient en effet des chameaux publics subventionnés pour se rendre d'un lieu à l'autre.

"Les vrais artistes, disaient les Ninivites, n'ont aucune raison de se plaindre. S'ils ont un réel talent dans leur spécialité, ils feront de l'argent quelles que soient les conditions sociales. Ce sont les autres – les soi-disant expérimentateurs, ceux qui ne cherchent qu'à se faire plaisir, les prophètes – qui ne gagnent pas un sou et se lamentent sur leur sort. Un banquier qui ne saurait pas comment faire des bénéfices serait perdu, lui aussi. Un bureaucrate qui ne reconnaîtrait pas la nécessité de faire traîner les choses se retrouverait sans emploi. C'est la loi de la survie. Ninive est une société tournée vers l'avenir."

Et il était vrai qu'à Ninive une poignée d'artistes (et beaucoup de faux artistes) gagnaient

bien leur vie. La société ninivite aimait à récom-
penser quelques-uns des fabricants des produits qu'elle consommait. Ce qu'elle refusait
bien entendu de reconnaître, c'était la grande
majorité des artistes dont les tentatives, miroitements et échecs permettaient la naissance des
succès des autres. La société ninivite n'avait pas
à soutenir quelque chose qu'elle n'aimait ni ne
comprenait dans l'instant. La vérité, c'est que
cette grande majorité d'artistes continuait, bien
sûr, quoi qu'il arrive, simplement parce qu'elle
n'y pouvait rien, le Seigneur ou l'Esprit-Saint
continuant soir après soir à l'aiguillonner. Ces
artistes continuaient à écrire, à peindre, à composer et à danser grâce à tous les expédients
qu'ils pouvaient trouver. "Comme n'importe
quel travailleur dans la société", disaient les
Ninivites.

On raconte que la première fois que Jonas
entendit cet échantillon de la sagesse ninivite, il
prit à deux mains son courage prophétique et
se planta sur la place publique de Ninive afin
de s'adresser aux foules. "L'artiste, tenta-t-il
d'expliquer, n'est *pas* n'importe quel travailleur
dans la société. L'artiste traite de réalité : réalité
interne et réalité externe transformées en symboles chargés de signification. Ceux qui traitent
d'argent traitent de symboles derrière lesquels
il n'y a rien. Il est merveilleux de penser aux
milliers et aux milliers d'agents de change ninivites pour qui la réalité, le monde réel, c'est la
montée ou la chute, l'une et l'autre arbitraires,
de chiffres transformés dans leur imagination
en richesse – une richesse qui n'existe que sur
un bout de papier ou sur un écran vacillant.
Aucun auteur fantastique, aucun artiste en réalité
virtuelle ne pourrait jamais espérer provoquer

dans un public une suspension d'incrédulité aussi contagieuse que celles qui se produisent dans une assemblée d'agents de change. Des hommes et des femmes adultes qui n'envisageraient pas un instant la réalité de la licorne, même en tant que symbole, accepteront de croire dur comme fer qu'ils possèdent leur part des ventres de chameaux de la nation, et dans cette croyance se considéreront comme heureux et en sécurité."

Lorsque Jonas arriva à la fin de ce paragraphe, la place publique de Ninive était devenue déserte.

Pour cet ensemble de raisons, Jonas décida de fuir à la fois Ninive et le Seigneur, et sauta sur un bateau en route pour Tharsis.

Il se trouve que les matelots du bateau qui emportait Jonas étaient tous originaires de Joppé, port proche de Ninive et poste avancé de l'Empire ninivite. Ninive était, vous l'avez sûrement deviné, une société abêtie par l'avidité. Pas par l'ambition, qui est une pulsion créatrice, une chose que possèdent tous les artistes, mais le besoin stérile d'accumuler dans le seul but d'accumuler. Joppé, par contre, était depuis des décennies un endroit où l'on accordait aux prophètes un minimum de liberté. Les gens de Joppé acceptaient avec une certaine bienveillance le flux annuel d'hommes barbus, dépenaillés et échevelés et de femmes aux yeux fous, car leur présence assurait à Joppé une publicité gratuite quand les prophètes voyageaient à l'étranger vers d'autres villes, où ils mentionnaient souvent le nom de Joppé en termes non dépourvus de sympathie. Qui plus est, le retour de la saison des prophéties ramenait à Joppé des visiteurs illustres et curieux, et ni les aubergistes, ni les

propriétaires du caravansérail ne se plaignaient
des demandes dont étaient l'objet leur gîte et
leur couvert.

Mais quand les temps devinrent durs à Ninive,
quand les difficultés économiques de la cité
ricochèrent jusqu'à la petite ville de Joppé, quand,
les bénéfices commerciaux ne progressant plus
que de soixante-quatorze pour cent, les riches
Joppéites se virent contraints de vendre l'un de
leurs chariots ornementés à six chevaux, ou
de fermer un ou deux de leurs ateliers à l'intérieur des terres, alors la présence à Joppé des
artistes en prophéties fut ouvertement désap-
prouvée. La tolérance et la générosité capricieuse
des jours plus fastes paraissaient désormais aux
citoyens de Joppé un coupable gaspillage, et
beaucoup d'entre eux pensaient que les artistes
qui venaient dans leur charmant petit port
devraient ne rien demander du tout et se montrer reconnaissants pour ce qu'ils recevaient :
reconnaissants quand on les logeait dans les
immeubles les plus moches de Joppé, reconnaissants quand on leur refusait les outils de
travail appropriés, reconnaissants quand on les
privait des moyens de réaliser leurs nouveaux
projets. Lorsqu'ils furent obligés de quitter leurs
chambres pour les céder à des hôtes payants
venus de Babylone, on leur dit de se souvenir
qu'en tant qu'artistes ils auraient dû savoir qu'il
était honorable de dormir sous les étoiles enrou-
lés dans des peaux de chèvres malodorantes, à
l'instar des illustres prophètes et poètes des
jours d'avant le Déluge. Avant tout, on leur
dit de renoncer à leurs notions élitistes, telle
cette idée que les artistes avaient besoin de se
retrouver entre artistes afin d'échanger des points
de vue, de discuter de techniques, de collaborer

et de s'instruire, ou qu'ils devaient avoir la
liberté de se déplacer vêtus comme ils l'enten-
daient et de faire ce qu'ils voulaient, sans qu'un
participant babylonien à une conférence les
dévisageât avec amusement ou dégoût.

Et pourtant, même en ces temps difficiles,
beaucoup de Joppéites gardèrent pour les prophètes une certaine affection sincère, assez
proche de l'affection que nous éprouvons pour
de vieux animaux familiers depuis l'enfance, ils
essayèrent de plusieurs façons de leur venir en
aide même quand les choses ne marchaient
pas trop bien, et s'efforcèrent de ne pas heurter
leur sensibilité artistique en se montrant trop
durs en affaires. C'est ainsi que quand la tempête se leva et que le bateau de Joppé devint le
jouet de vagues furieuses, les marins joppéites
se sentirent mal à l'aise et hésitèrent à blâmer
Jonas, leur hôte artistique. Peu désireux de
prendre des mesures drastiques, ils tentèrent
de prier leurs propres dieux, dont ils savaient
l'autorité sur les cieux et les mers – mais sans
résultat visible. A vrai dire, la tempête ne faisait
qu'empirer, comme si les dieux joppéites avaient
eu d'autres soucis en tête et été agacés par les
gémissements des matelots. Alors les matelots
se tournèrent vers Jonas (qui se trouvait dans
la cale, dormant dans la tempête, ainsi que le
font parfois les artistes), ils l'éveillèrent et lui
demandèrent conseil. Même quand Jonas leur
eut répondu, non sans un soupçon de vanité
artistique, que la tempête était entièrement de
sa faute, les matelots restèrent réticents à l'idée
de le jeter par-dessus bord. Quelle sorte de
tourmente pouvait susciter un artiste minable ?
En quelle colère un seul misérable prophète
pouvait-il mettre la mer profonde et sombre

comme du vin ? Mais la tempête empirait, le vent hurlait dans les haubans, les planches grinçaient et criaient quand les vagues les frappaient, et à la fin, l'un après l'autre, les matelots se rappelèrent les vieux truismes ninivites, appris à Joppé sur les genoux de leurs grands-mères : tous les artistes étaient, l'un dans l'autre, des pique-assiettes, et que tout ce que Jonas et ses pareils faisaient de leurs journées consistait à composer des poèmes dans lesquels ils rouspétaient pour ci, geignaient pour ça, et proféraient des choses menaçantes à propos des vices les plus innocents. Et pourquoi une société dont l'avidité était la force agissante devrait-elle venir en aide à quelqu'un qui ne contribuait pas le moins du monde à l'accumulation immédiate de richesses ? Donc, expliqua l'un des matelots à ses compagnons, ne nous reprochons pas d'avoir été mauvais marins, acceptons simplement le *mea culpa* de Jonas, et jetons ce salopard à la mer.

Maintenant, même si Jonas avait regretté ses paroles, et avait soutenu que, peut-être, un navire, ou le navire d'un Etat, pouvait tirer avantage de quelques sages prophéties qui lui serviraient de ballast et le stabiliseraient, les matelots avaient appris grâce à leur longue familiarité avec les politiciens ninivites l'art de faire la sourde oreille aux avertissements artistiques. Lorsqu'ils traçaient leur route en zigzag à travers les océans du monde en quête de terres nouvelles où commercer librement et avec profit, les matelots considéraient que, quoi que pût dire ou faire un artiste, le poids de l'argent offrirait toujours un ballast plus stable que n'importe quel argument artistique.

Lorsqu'ils eurent jeté Jonas par-dessus bord et que la mer se calma, les matelots tombèrent à genoux et remercièrent le Seigneur, le Seigneur de Jonas. Personne n'aime être ballotté en tous sens par les balancements d'un bateau, et comme les balancements avaient cessé à l'instant même où Jonas avait touché l'eau, les matelots en conclurent aussitôt qu'il était bel et bien responsable et que leur acte avait été tout à fait justifié. Ces matelots n'avaient manifestement pas bénéficié d'une éducation classique, ou ils auraient su que l'argumentation pour l'élimination de l'artiste devait acquérir au cours des siècles à venir une histoire longue et vénérable. Ils auraient su qu'existe une antique tentation, présente dans les fondements mêmes de toute société humaine, d'éviter cette créature gênante qui s'efforce sans cesse de bousculer les principes de nos certitudes, le roc sur lequel nous aimons à nous croire plantés. Selon Platon, pour commencer, le véritable artiste est l'homme d'Etat, celui qui donne sa forme à l'Etat en suivant un modèle divin de Justice et de Beauté. L'artiste ordinaire, par contre, l'écrivain ou le peintre, ne réfléchit pas cette vénérable réalité mais produit en son lieu de simples fantaisies, qui ne conviennent pas à l'éducation du peuple. Cette notion, selon laquelle l'art n'est utile que s'il sert l'Etat, fut adoptée avec enthousiasme par divers gouvernements successifs : l'empereur Auguste bannit le poète Ovide à cause de quelques lignes que le poète avait écrites et qu'Auguste considérait comme une menace secrète. L'Eglise condamnait les artistes qui détournaient les fidèles du dogme. A la Renaissance, on vendait et on achetait les artistes comme des courtisanes, et au XVIII<sup>e</sup> siècle ils n'étaient plus (du moins dans l'imagination du public) que des créatures qui habitaient des taudis et y mouraient de mélancolie et de consomption. Flaubert a défini dans son *Dictionnaire des idées reçues* la façon dont le bourgeois du XIXe siècle considérait les artistes : "Artistes : Tous farceurs. Vanter leur désintéressement *(vieux)*. S'étonner de ce qu'ils sont habillés comme tout le monde *(vieux)*. Gagnent des sommes folles, mais les jettent par les fenêtres. Souvent invités à dîner en ville. Femme artiste ne peut être qu'une catin." A notre époque, les descendants des matelots de Joppé ont lancé une fatwa contre Salman Rushdie et pendu Ken Saro-Wiwa au Nigeria. Leur devise, en ce qui concerne les artistes, est celle qu'avait formulée le fonctionnaire de l'immigration canadienne chargé de recevoir les réfugiés juifs pendant la Deuxième Guerre mondiale : *"None is too many"*, "Aucun, c'est déjà trop".

Donc, voilà Jonas jeté à l'eau et avalé par un poisson géant. La vie dans le ventre obscur et doux du poisson n'était pas si désagréable, en réalité. Pendant ces trois jours et ces trois nuits, bercé par les grondements d'une digestion difficile de plancton et de crevettes, Jonas eut le temps de réfléchir. C'est là un luxe dont les artistes disposent rarement. Dans le ventre du poisson, il n'y avait ni dates limites, ni factures d'épicier à payer, ni langes à laver, ni repas à préparer, ni conflits familiaux à affronter au moment précis où arrive la note parfaite pour la fin de la sonate, ni directeurs de banque à attendrir, ni critiques face auxquelles grincer des dents. Par conséquent, durant ces trois nuits, Jonas réfléchit, pria, dormit et rêva. Et à son réveil il se retrouva vomi sur la terre ferme, avec la voix lancinante de Dieu qui s'acharnait à nouveau sur lui : "Va, trouve Ninive et joue ton morceau. Peu importe la façon dont ils réagiront.

Tout artiste a besoin d'un public. Tu dois cela à ton œuvre."

Cette fois, Jonas fit ce que le Seigneur lui ordonnait. Une certaine confiance en l'importance de son art lui était venue au fond du ventre obscur du poisson, et il se sentait disposé à faire connaître son talent à Ninive. Mais à peine avait-il commencé son morceau de bravoure, à peine avait-il prononcé cinq mots de son texte prophétique que le roi de Ninive tombait à genoux et se repentait, que les gens de Ninive déchiraient leurs chemises haute couture et se repentaient – jusqu'au bétail de Ninive, qui beuglait à l'unisson pour montrer que lui aussi se repentait. Et le roi, le peuple et le bétail de Ninive se vêtirent tous de sacs et de cendres, se promirent les uns aux autres que le passé était le passé, chantèrent des versions ninivites du *Chant des adieux*, et proclamèrent en pleurant leur repentir au Seigneur, là-haut. Et en voyant ce déploiement orgiaque de repentir, le Seigneur renonça à punir le peuple et le bétail de Ninive. Et Jonas, bien entendu, était furieux. Ce que mon grand-oncle aurait appelé l'esprit "anarchique" en lui se rebellait, et il s'en alla bouder dans le désert à quelque distance de la ville absoute.

Vous vous rappellerez que Dieu avait fait pousser une plante sur le sol nu afin d'abriter Jonas de la chaleur, et que ce geste charitable de Dieu suscita de nouveau la gratitude de Jonas, après quoi Dieu flétrit la plante qui retourna en poussière et Jonas se retrouva en train de rôtir au soleil. Nous ne savons pas si le tour joué par Dieu avec cette plante – la mettre d'abord là pour abriter Jonas du soleil, et puis la supprimer – était une leçon destinée à convaincre

Jonas des bonnes intentions de Dieu. Peut-
être Jonas vit-il dans ce geste une allégorie des
aides qui lui avaient été accordées et puis sup-
primées après les coupes opérées par le conseil
des arts de Ninive – un geste qui le condamnait
à frire sans protection sous le soleil de midi. Je
suppose qu'il comprit que dans des temps difficiles – ces temps où les pauvres deviennent
plus pauvres et où les riches ont de la peine à
se maintenir dans la tranche du million de dollars d'impôts – Dieu n'allait pas se soucier de
problèmes de mérite artistique. Etant Lui-même
un Auteur, Dieu éprouvait sans nul doute une
certaine sympathie pour le triste sort de Jonas :
le manque de temps pour travailler à ses
réflexions sans avoir à penser à son pain quotidien ; le désir que ses prophéties paraissent
dans la liste des best-sellers du *Times* de Ninive,
et celui de n'être néanmoins pas confondu avec
les auteurs de romans à succès et de littérature
de gare ; l'envie d'émouvoir les foules par
ses paroles de feu, mais en les poussant à la
révolte, pas à la soumission ; l'envie que Ninive
regarde au plus profond de son âme et recon-
naisse que sa force, sa sagesse, jusqu'à sa vie,
ne se trouvaient pas dans les piles de pièces
d'or croissant chaque jour telles des pyramides
funéraires sur les bureaux des prêteurs, mais
dans les œuvres de ses artistes et les paroles de
ses poètes, et dans la fureur visionnaire de ses
prophètes, dont la tâche consiste à faire balan-
cer le navire afin d'empêcher les citoyens de
s'endormir. Tout cela, le Seigneur le comprenait, comme Il comprenait la colère de Jonas,
car il n'est pas impossible d'imaginer que Dieu
en Personne apprend parfois quelque chose de
Ses artistes.

Toutefois, bien que Dieu pût tirer de l'eau d'une pierre et obtenir du peuple de Ninive qu'il se repente, Il ne pouvait toujours pas le faire réfléchir. Du bétail, incapable de pensée, Il pouvait avoir pitié. Mais, parlant à Jonas de Créateur à créateur, d'Artiste à artiste, que pouvait faire Dieu d'un peuple qui, comme Il l'exprima avec une si divine ironie, "ne distingue pas sa droite de sa gauche" ?

Là, je l'imagine, Jonas hocha la tête et garda le silence.

# X

# EN MÉMOIRE DE L'AVENIR

"Mais cela présente un grand avantage,
c'est que la mémoire s'exerce dans les deux sens."

*De l'autre côté du miroir*, chapitre v

# L'ORDINATEUR DE SAINT AUGUSTIN

*Il faut donner les contradictions*
*pour ce qu'elles sont, les éclairer*
*en tant que telles, saisir ce qu'elles*
*cachent.*

HANNAH ARENDT,
*Le Concept d'amour chez Augustin.*

DANS LES PREMIÈRES ANNÉES du XVIᵉ siècle, les anciens de la guilde de San Giorgio degli Schiavoni, à Venise, commandèrent à l'artiste Vittore Carpaccio une série de scènes illustrant la vie de saint Jérôme, ce grand érudit et lecteur du IVᵉ siècle. Le dernier tableau, placé aujourd'hui en haut et à droite quand on entre dans la petite salle obscure, ne représente pas saint Jérôme mais saint Augustin d'Hippone, son contemporain. Une tradition répandue dès le Moyen Age raconte que, saint Augustin s'étant assis devant son bureau pour écrire à saint Jérôme afin de lui demander son opinion sur la question de la béatitude éternelle, la pièce fut emplie de lumière et Augustin entendit une voix lui annoncer que l'âme de Jérôme était montée au ciel.

La pièce dans laquelle Carpaccio a placé Augustin est une étude vénitienne de l'époque du peintre, aussi digne de l'auteur des *Confessions* que de l'esprit de saint Jérôme, responsable de la version latine de la Bible et saint patron des traducteurs. De minces volumes exposés sur une haute étagère, un délicat bric-à-brac aligné en dessous, un fauteuil garni de cuir et clouté de laiton et une petite écritoire surélevés par rapport au sol inondable, une table et un lutrin rotatif au-delà d'une porte située au fond et à gauche, et la table de travail du saint, encombrée de livres ouverts et de ces objets personnels que les années déposent sur le bureau de tout écrivain : un coquillage, une cloche, une boîte en argent. Dans l'alcôve centrale, une statue du Christ ressuscité regarde dans la direction d'une statuette de Vénus dressée parmi les objets d'Augustin ; elles habitent l'une et l'autre, sur des plans différents, le même monde humain : la chair et ses délices, dont Augustin pria d'être délivré ("mais pas tout de suite"), et le logos, le Verbe de Dieu qui était au commencement et dont Augustin entendit un jour l'écho dans un jardin. A une distance respectueuse, un petit chien blanc ébouriffé attend, plein d'espoir.

Ce lieu dépeint à la fois le passé et le présent d'un lecteur. L'anachronisme ne comptait pas pour Carpaccio, car le souci de fidélité historique est une invention moderne, qui remonte sans doute au XIX$^e$ siècle et au credo préraphaélite de Ruskin préconisant "une vérité absolue et intransigeante [...] jusqu'au moindre détail". Quoi qu'aient pu avoir été, au IV$^e$ siècle, le cabinet de travail d'Augustin et ses livres, Carpaccio et ses contemporains se les représentaient comme semblables aux leurs pour l'essentiel. Rouleaux ou codices, feuilles de parchemin reliées ou ravissants livres au format de poche imprimés par le Vénitien Aldo Manuzio quelques

années à peine avant que Carpaccio n'entreprît
son œuvre à la Scuola, telles étaient les diverses
formes du livre – le livre qui avait changé et
continuerait de changer, et demeura cependant
une même chose. Tel que le voyait Carpaccio,
le cabinet d'Augustin ressemble aussi au mien,
royaume d'un lecteur ordinaire : les rangées
de livres et de souvenirs, le bureau encombré,
le travail interrompu, le lecteur attendant d'une
voix – la sienne ? celle de l'auteur ? celle d'un
esprit ? – la réponse à des questions soulevées
par la page ouverte devant lui.

Puisque la confrérie des lecteurs est généreuse
– c'est du moins ce qu'on nous dit – permettez-
moi de me placer un instant au côté de l'auguste lecteur de Carpaccio, lui à son bureau,
moi au mien. Notre façon de lire – celle d'Augustin, celle de Carpaccio et la mienne – s'est-elle
modifiée au cours des siècles ? Et si tel est le
cas, comment s'est-elle modifiée ?

Quand je lis un texte sur une page ou sur un
écran, je lis en silence. Par un processus ou une
série de processus d'une incroyable complexité,
des essaims de neurones dans des sections spécifiques de mon cerveau déchiffrent le texte
que voient mes yeux et me le rendent compréhensible, sans que j'aie besoin de prononcer les
mots au bénéfice de mes oreilles. Lire ainsi en
silence n'est pas une pratique aussi ancienne
qu'on pourrait le croire.

A saint Augustin, mon mutisme aurait paru,
sinon incompréhensible, à tout le moins curieux.
Dans un passage bien connu des *Confessions*,
Augustin raconte comment il surprit saint Am-
broise en train de lire en silence. "Quand il lisait,
ses yeux parcouraient la page et son cœur
explorait les significations, mais sa voix restait

silencieuse et sa langue immobile." Augustin, au IVe siècle, avait l'habitude de lire comme avaient lu les anciens Grecs et Romains, à haute voix, de manière à s'y retrouver dans les chapelets de lettres juxtaposées sans ponctuation ni capitales. Il était possible, pour un lecteur expérimenté et pressé, de déchiffrer un texte en silence – Augustin en était capable, il nous le dit dans son récit de l'instant dramatique de sa conversion, lorsqu'il saisit un volume des Épîtres de saint Paul et lit "en silence" le verset prophétique qui l'enjoint de se revêtir du Christ "ainsi que d'une armure". Mais la lecture à voix haute n'était pas seulement considérée comme normale ; on la jugeait aussi indispensable à la pleine compréhension. Augustin pensait que la lecture devait être rendue présente ; que, dans les limites de la page, les *scripta*, mots écrits, devaient devenir *verba*, mots parlés, afin d'accéder à l'existence. Pour lui, le lecteur devait littéralement insuffler la vie au texte, en remplissant l'espace créé d'un langage animé.

Dès le IXe siècle, la ponctuation et la plus grande diffusion des livres établirent la lecture silencieuse comme une pratique ordinaire, et un élément nouveau – l'intimité – en fit désormais partie. Pour les nouveaux lecteurs, cette pratique, en érigeant d'invisibles murs autour d'eux et de leur activité, autorisait une sorte d'intimité amoureuse avec le texte. Sept siècles plus tard, Carpaccio aurait considéré la lecture silencieuse comme un aspect obligé du travail d'un érudit, et son savant Augustin devait évidemment être représenté dans un lieu de calme et d'intimité.

Près de cinq siècles plus tard encore, en notre temps, puisque la lecture silencieuse n'a plus rien d'étonnant et que nous sommes toujours en quête désespérée de nouveauté, nous avons réussi à prêter au texte sur écran sa voix propre – discordante et désincarnée, il est vrai. A la demande du lecteur, un CD-ROM peut désormais usurper les prérogatives magiques du lecteur post-augustinien : il peut garder un silence de saint pendant que je parcours des yeux la page qui se déroule, ou prêter au texte une voix et des éléments graphiques, ramenant ainsi à la vie ce qui est mort, non grâce à une fonction de la mémoire et à un sens du plaisir (ainsi que le proposait Augustin), mais par le truchement d'une mécanique, golem préfabriqué dont l'apparence sera certainement perfectionnée avec le temps. La différence est que la voix de lecture de l'ordinateur n'est pas notre voix : par conséquent le ton, la modulation, l'accentuation et les autres instruments permettant de donner du sens à un texte sont définis en dehors de notre intelligence. Au lieu de donner des ailes aux *verba*, nous avons fait marcher des *scripta* mortes.

La mémoire de l'ordinateur n'est pas, elle non plus, semblable à la nôtre. Pour Augustin, ces lecteurs qui lisaient les Ecritures dans l'esprit voulu conservaient en eux le souvenir du texte, s'en transmettaient l'immortalité de lecteur en lecteur, de génération en génération. "Ils lisent sans interruption, écrivait-il dans les *Confessions*, et ce qu'ils ont lu ne disparaît jamais." Augustin fait l'éloge de ces lecteurs qui "deviennent" le livre en portant en eux le texte, imprimé dans leur cerveau comme sur une tablette de cire.

La capacité de se rappeler des passages des textes essentiels aux fins de discussions et de comparaisons avait encore grande importance à l'époque de Carpaccio. Mais après l'invention de l'imprimerie et l'augmentation du nombre des bibliothèques privées, l'accès aux livres pour consultation immédiate devint beaucoup plus aisé et, au XVIe siècle, les lecteurs pouvaient compter sur la mémoire des livres plutôt que sur la leur. Le lutrin multiple et pivotant que Carpaccio a représenté dans le cabinet d'Augustin agrandissait encore la mémoire du lecteur, de même que d'autres engins merveilleux – telle la prodigieuse "roue de lecture" inventée en 1588 par l'ingénieur italien Agostino Ramelli, qui donnait au lecteur accès immédiat et quasi simultané à dix livres différents, tous ouverts au chapitre et à la ligne désirés.

La vaste mémoire de ma machine à traitement de texte tend à me rendre le même service. Dans certains cas, elle est de très loin supérieure à ces inventions de la Renaissance. Par exemple :

Des contemporains de Carpaccio collectionnaient avec passion, et à grand-peine, les textes anciens des Grecs et des Romains, si rares que beaucoup des livres que nous appelons classiques étaient inconnus d'Augustin. Désormais, tous ces textes sont à mon entière disposition. Les deux tiers de toute la littérature grecque demeurée vivante jusqu'à l'époque d'Alexandre, trois millions quatre cent mille mots et vingt-quatre mille images, se trouvent rassemblés sur quatre disques publiés par Yale University Press, de sorte qu'aujourd'hui, d'un simple grignotement de ma souris, je peux découvrir combien de fois Aristophane s'est servi du mot signifiant "homme" et m'apercevoir qu'il s'en est servi deux fois plus souvent que du mot signifiant "femme". Pour établir des statistiques aussi précises, Augustin aurait dû mettre ses capacités mnémoniques à rude épreuve – même si l'art de mémoriser, laborieusement développé depuis les temps de la Grèce et de Rome, avait alors atteint un degré étonnant de perfectionnement.

Néanmoins, ce que ma mémoire électronique est incapable de faire, c'est choisir et assembler, commenter et associer grâce à une combinaison de pratique et d'intuition. Elle ne peut, par exemple, me dire qu'en dépit des apparences statistiques, ce sont les femmes d'Aristophane – Praxagora dans *L'Assemblée des femmes*, les commères au marché dans *Les Thesmophories*, et cette mégère de Lysistrata – qui me viennent à l'esprit lorsque je pense à son œuvre lue non sur CD mais dans les vénérables volumes Garnier que nous utilisions à l'école. La mémoire gloutonne de mon ordinateur n'est pas une mémoire active, comme celle de saint Augustin ; c'est un dépôt, comme sa bibliothèque, mais plus vaste et sans doute plus aisément accessible. Grâce à mon ordinateur, je peux mémoriser – mais je ne peux pas me souvenir. Ce talent-là, je dois l'apprendre d'Augustin et de ses volumes anciens.

A l'époque d'Augustin, le codex, volume de feuilles reliées, avait presque complètement supplanté le rouleau car il offrait, en comparaison avec celui-ci, des avantages manifestes. Le rouleau ne laissait apparaître qu'une partie du texte à la fois, sans permettre au lecteur de tourner les pages ni de lire un chapitre tout en gardant la place d'un autre avec un doigt. Il imposait donc de strictes conditions de lecture. Le texte était offert au lecteur dans un ordre prédéterminé et une seule section à la fois. Un roman tel que *Marelle*, de Julio Cortázar, qui laisse au lecteur le choix de l'ordre des chapitres, eût été impensable à l'époque du rouleau. Qui plus est, le rouleau limitait la longueur de son contenu bien plus que ne le ferait jamais le codex ; on pense que la division de l'*Odyssée* en livres correspond moins à la volonté du poète qu'à la capacité des rouleaux.

Aujourd'hui, mon ordinateur tient des deux formes à la fois : le texte lu s'y "déroule" et je peux cependant, si je veux, cliquer instantanément sur une autre section dans une "fenêtre" différente. Mais il ne possède en aucun cas l'ensemble des caractéristiques de ses aînés : il ne me donne pas, comme le faisait le rouleau au premier coup d'œil, la pleine mesure physique de son contenu. Il ne me permet pas non plus, malgré les "fenêtres", de tourner et de sauter des pages avec la même dextérité que le codex. Par contre, il est plus efficace lorsqu'il s'agit de retrouver quelque chose : ses fonctions de recherche sont infiniment supérieures à celles de ses ancêtres de parchemin et de papier.

Augustin savait (et nous avons tendance à oublier) que chaque lecteur crée en lisant un espace imaginaire, un espace fait de la personne en train de lire et du domaine des mots lus – ce que Keats appelait "le palais drapé de pourpre du doux péché". Cet espace de lecture existe soit dans l'objet même qui le révèle ou le contient (le livre ou l'ordinateur), soit dans sa propre existence textuelle, immatérielle, en tant que mots préservés au fil du temps, un espace dans la conscience du lecteur. Selon que l'écrit se place à la fin ou au début d'une civilisation, selon que nous le voyons comme le résultat d'un processus créateur (ainsi que le voyaient les Grecs) ou comme sa source (ainsi que les Hébreux), l'écrit devient – ou ne devient pas, c'est selon – la force motrice de cette civilisation.

Ce que je veux dire, c'est que pour les Grecs, qui écrivaient avec assiduité leurs traités philosophiques, leurs pièces de théâtre, leurs poèmes, lettres, discours et transactions commerciales, et considéraient cependant l'écrit comme un simple auxiliaire de la mémoire, le livre était un accessoire de la vie civilisée, jamais son cœur ; c'est pourquoi la représentation matérielle de la civilisation grecque se trouvait dans l'espace, dans les pierres de leurs cités. Tandis que pour les Hébreux, dont les transactions quotidiennes se passaient oralement et dont la littérature était pour une large part confiée à la mémoire, le Livre – la Bible, la parole de Dieu révélée – constituait le cœur de la civilisation, survivant dans le temps, et non dans l'espace, au cours des migrations d'un peuple nomade. Dans un commentaire de la Bible, Augustin, suivant directement la tradition hébraïque, observa que les mots tendent vers la qualité de la musique, qui trouve son existence dans le temps, sans localisation géographique particulière.

Mon ordinateur n'appartient pas, me semble-t-il, à la tradition hébraïque et centrée sur le livre qui était celle d'Augustin, mais à la tradition grecque qui préférait aux livres les monuments de pierre. Même si le "net" étendu au monde entier simule sur mon écran un espace sans frontières, les mots que je fais apparaître doivent leur existence au temple familier de l'ordinateur, dressé avec son écran pareil à un portique en haut de l'esplanade pavée de mon clavier. Comme le marbre pour les Grecs, ces galets de plastique parlent (et même, grâce aux fonctions audio, ils parlent véritablement). Et les rites d'accès à l'espace cybernétique ressemblent par certains côtés aux rites d'accès à un temple ou à un palais, à un lieu symbolique qui exige une préparation et de savantes conventions, décidées par des spécialistes amateurs invisibles et apparemment tout-puissants.

Les rites de lecture d'Augustin, observés autour de l'espace de sa table de travail et à l'intérieur de son cabinet, étaient cependant facultatifs ou, à tout le moins, sans cesse modifiables. Augustin pouvait décider de se déplacer avec le texte qu'il lisait, ou d'aller se mettre au lit avec son codex, ou de sortir de la pièce pour aller lire dans le jardin (comme lorsqu'il entendit les paroles qui provoquèrent sa conversion), ou dans la solitude du désert. Le livre d'Augustin, en tant que contenant du texte, était essentiellement variable. Pour le lecteur humaniste de l'époque de Carpaccio, ce caractère variable allait de soi, aboutissant à l'invention du livre de poche par Aldo Manuzio. Et au fil des siècles, le livre devint de plus en plus transportable, multiple, remplaçable – susceptible d'être lu partout, dans n'importe quelle position, à tout moment.

Les rites que m'impose l'ordinateur obéissent à des préceptes technologiques qui dépassent les connaissances d'un profane. Même si un *powerbook* me permet de transporter ma lecture en haut d'une falaise du Grand Canyon (comme dans la publicité de Macintosh), l'existence du texte dépend toujours de la technologie qui l'a créée et l'entretient, et exige toujours ma soumission au "monument" matériel de la machine.

C'est la raison pour laquelle, aux yeux d'Augustin, les mots sur la page – et non le rouleau périssable ou le codex remplaçable qui les contenaient – avaient une solidité matérielle, une présence ardente et visible. Pour moi, la solidité se trouve dans le coûteux édifice de l'ordinateur, non dans les mots éphémères. Quand il est silencieux, le texte fantôme, apparaissant de façon quasi surnaturelle sur l'écran et disparaissant d'un geste du doigt, est différent, c'est certain, des lettres noires robustes, rassurantes, autoritaires mêmes, méticuleusement tracées sur un morceau de parchemin ou imprimées sur une page. Mon texte électronique est séparé de moi par une vitre, et je ne pourrais donc ni baiser les mots comme Augustin aurait pu le faire en sa dévotion, ni humer les parfums de cuir et d'encre que respiraient en lisant les contemporains de Carpaccio. Cela explique les différences dans les vocabulaires utilisés par Augustin et par moi pour décrire l'action de lire. Augustin parlait de "dévorer" ou de "savourer" un texte – imagerie gastronomique dérivée d'un passage d'Ezéchiel dans lequel un ange ordonne au prophète d'avaler un livre, occurrence qu'on retrouve dans l'Apocalypse. Je parle, moi, de "surfer" sur le "net", de "scanner" un texte. Pour Augustin, le texte avait une qualité matérielle qui exigeait l'ingestion. Pour le lecteur sur ordinateur, le texte n'existe que comme une surface qu'on survole, en "planant sur les ondes" de l'information, d'une cyber-zone à l'autre.

Tout cela signifie-t-il que nos talents de lecteurs ont décliné, ont perdu leurs qualités les plus précieuses, se sont dégradés ou appauvris ? Ou qu'ils se sont améliorés, qu'ils ont fait des progrès, qu'ils se sont perfectionnés depuis les temps hésitants d'Augustin ? Ou ces questions sont-elles oiseuses ?

Il y a des années maintenant qu'on prophétise la fin du livre et la victoire des médias électroniques, comme si livres et médias électroniques étaient deux galants se disputant un même lecteur dans une même lice intellectuelle. D'abord le cinéma, et puis la télévision, et ensuite les jeux et cassettes vidéo ont été désignés comme les destructeurs du livre, et certains écrivains n'hésitent pas à utiliser un langage apocalyptique plein d'appels au salut et d'invectives proférées contre l'Antéchrist. Tous les lecteurs peuvent être dans l'âme opposés au progrès technique – mais il me semble que ce serait pousser un peu loin l'enthousiasme. La technologie ne fera pas marche arrière et, en dépit d'ouvrages innombrables annonçant le déclin de l'imprimé, le nombre des titres nouveaux imprimés chaque année ne montre aucun signe de diminution.

Et pourtant, il y aura des modifications. Il est vrai qu'avant la plupart des grandes modifications techniques l'application technique précédente connaît un développement, une exubérance de dernière minute. Après l'invention de la presse à imprimer, le nombre des manuscrits réalisés en Europe a augmenté de façon spectaculaire, et la peinture sur toile s'est épanouie après l'apparition de la photographie. Et il paraît plus que probable que, même si le nombre des livres imprimés est actuellement plus grand que jamais, certains genres, disponibles aujourd'hui principalement sous forme de codices, céderont la place à d'autres formats mieux adaptés à leur usage. Les encyclopédies, par exemple, seront plus efficaces, logées sur CD-ROM, dès que la technologie aura mis au point un système de références croisées intelligent, qui ne se contente pas de cracher avec une nonchalance mécanique toute citation pertinente ou non. A l'aide d'un tel outil, il sera beaucoup plus facile pour un ordinateur d'explorer un disque encyclopédique que pour le plus studieux des lecteurs de rechercher dans les vingt volumes de l'*Universalis* tous les articles où il est question de lecture.

Mais ces transformations-là sont évidentes. Pour l'essentiel, on ne devrait rien perdre de précieux. Il se peut que les qualités que nous souhaitons avec nostalgie conserver dans les livres tels qu'ils sont aujourd'hui, tels que les ont imaginés les lecteurs humanistes, réapparaissent, sous des dehors intelligents, dans les médias électroniques. Nous pouvons déjà griffonner sur des blocs-notes électroniques et il existe des *powerbooks* et des livres numériques réduits au point de tenir dans la main. La femme qui lit dans le métro un roman en format de poche et l'homme à ses côtés qui écoute les basses assourdies de son walkman, l'étudiante qui prend des notes dans la marge de ses livres de classe et l'enfant qui joue près d'elle sur une Nintendo pourraient tous combiner leurs instruments (comme le font aujourd'hui les ordinateurs domestiques) en un seul appareil qui offrirait toutes ces possibilités textuelles : afficher du texte, réciter, permettre des annotations et proposer des modes de recherche ludiques sur un petit écran portable ou quelque appareil encore à inventer. Le CD-ROM (et ce qui le remplacera éventuellement dans un avenir imminent) est comme le *Gesamtkunstwerk* de Wagner, une sorte de mini-opéra auquel tous les sens doivent participer afin de recréer un texte.

Alors pourquoi avons-nous peur du changement ?

Il est peu probable que la lecture perde, du fait de la révolution électronique, ses qualités aristocratiques. Dans les enfances indistinctes d'autrefois, la lecture apparaît soit comme un devoir destiné à préserver certaines notions d'autorité (comme dans les salles d'études de la Mésopotamie et du Moyen Age européen), soit comme une activité réservée aux classes aisées tout au long de nos diverses histoires, accordée aux gens qui avaient du bien et usurpée par d'autres. La plupart de nos société (certainement pas toutes) se sont formées autour d'un livre, et pour elles la bibliothèque représente un symbole essentiel du pouvoir. Symboliquement, le monde antique finit avec la destruction de la bibliothèque d'Alexandrie ; symboliquement, le XXe siècle s'achève avec la reconstruction de la bibliothèque de Sarajevo.

Mais la notion d'une lecture véritablement démocratique est illusoire. Les bibliothèques fondées par Carnegie, au XIXe siècle, étaient des temples dévolus à sa propre classe, où les lecteurs ordinaires n'étaient autorisés à entrer que conscients de leur position, pleins de vénération envers l'autorité établie. La lecture peut, dans une certaine mesure, apporter un changement social, comme le pensaient au XIXe siècle des réformateurs tels que Matthew Arnold, mais elle peut devenir aussi un moyen de tuer le temps ou de le ralentir devant la fatalité commune de la mort, un temps opposé avec arrogance aux cadences monotones du temps passé à travailler, à "faire son temps" en quelque sorte dans les innombrables galères, mines, champs et usines sur lesquels sont bâties nos sociétés.

Ce qui changera certainement, c'est l'idée de propriété des livres. La notion du livre comme objet de valeur, que ce soit à cause de son contenu, de son histoire ou de sa présentation, existe depuis le temps des rouleaux, mais ce n'est qu'au XIVe siècle (en Europe, du moins) que l'apparition d'un public bourgeois extérieur aux domaines de la noblesse et du clergé créa un marché où la possession de livres devint un signe de situation sociale et leur production une entreprise lucrative comme les autres. Toute une industrie moderne s'est développée pour répondre à cette nécessité commerciale, et Doris Lessing put exhorter ses collègues écrivains en butte aux difficultés :

> Et cela ne fait pas de mal de le répéter, aussi souvent qu'on le peut : Sans moi l'industrie littéraire n'existerait pas ; les éditeurs, les agents, les sous-agents, les sous-sous-agents, les comptables, les avocats spécialisés, les départements de littérature, les professeurs, les thèses, les livres de critique, les articles de presse, les pages littéraires – tout ce vaste édifice proliférant n'existe qu'à cause de cette petite personne traitée avec condescendance, déconsidérée et mal payée.

Mais, à l'époque de la nouvelle technologie, cette industrie (qui ne disparaîtra pas) devra, pour survivre, fonctionner autrement. Des essais sur Internet, des poèmes transmis par modem, des livres copiés sur disquettes et passés d'un ami à l'autre ont commencé à court-circuiter éditeurs et libraires. Les romans interactifs mettent en question la notion même d'auteur. Qui touchera des droits pour un texte scanné à Salamanque, reçu par courrier électronique à Recife, modifié à Melbourne, amplifié en Equateur, enregistré sur disquette à San Francisco ? Qui est réellement l'auteur de ce texte hybride ?

Tels les nombreux participants à la construction d'une cathédrale médiévale ou à la réalisation d'un film hollywoodien, la nouvelle industrie trouvera sans doute des façons d'assurer un bénéfice à quelqu'un, Eglise ou multinationale. Et la petite personne mal payée de Doris Lessing devra peut-être se résigner à devenir encore plus petite et plus mal payée.

Cette perspective peu réjouissante ne va pas, cependant, sans quelques aspects stimulants. En janvier 1996, peu après la mort du président Mitterrand, un tribunal fit interdire un livre, *Le Grand Secret*, dans lequel les médecins du président, Claude Gubler et Michel Gonod, révélaient des détails intimes du déclin de leur illustre patient et rendaient publics les efforts officiels tendant à dissimuler la gravité de sa maladie. L'interdiction de livres a toujours été une prérogative des gens en place, et jusqu'à ce jour les écrivains n'avaient aucun recours contre les édits et les bûchers, en dehors des samizdats et de la foi en un avenir plus tolérant. Jusqu'à présent. Le 23 janvier 1996, Pascal Barbaud, propriétaire d'un "cybercafé" à Besançon où les clients peuvent, moyennant finances, utiliser le service Internet de l'établissement, a décidé de scanner *Le Grand Secret* sur Internet. Comme Internet n'était soumis à la juridiction d'aucun gouvernement (je dis "était" car les censeurs, sous le vieux prétexte des dangers de la pornographie et d'une littérature de haine, ont pénétré ce sanctuaire aussi), Barbaud a pu mener à bien sa mission subversive. Et comme personne ne peut être tenu pour responsable d'un texte sur Internet, *Le Grand Secret* est devenu le premier livre interdit qui ait échappé ouvertement à l'autorité des censeurs.

Et pourtant, aucun lecteur n'est jamais satisfait. *Le Grand Secret* sur Internet n'est qu'une copie du texte imprimé. Mais que se passerait-il s'il était ouvert à la participation de chaque utilisateur d'Internet, comme ces romans sur écran de Robert Coover que tout lecteur peut modifier au gré de son inspiration ? Privilégié, en ce qu'il a le temps de lire, relativement libéré des contraintes de la censure, dans le confort d'un espace privé, notre lecteur inquiet s'interroge : pourra-t-il encore lire avec l'esprit critique un tel texte électronique, un texte susceptible d'être modifié par ses lecteurs sur écran, un texte protéiforme (ou, selon notre vocabulaire disgracieux, "interactif") ?

Dans notre inquiétude, nous oublions que tout texte est, en un sens très essentiel, interactif, qu'il se modifie en fonction d'un lecteur particulier à une heure particulière et dans un espace particulier. Chaque lecture individuelle emporte le lecteur dans la "spirale de l'interprétation", ainsi que l'a nommée l'historien français Jean-Marie Pailler. Aucune lecture ne peut éviter cela, chaque lecture ajoute une spire à son ascension vertigineuse. Il n'a jamais existé de "lecture pure" : dans une lecture de Diderot, l'acte se confond avec la conversation ; dans Pauline Réage, avec la titillation ; dans Daniel Defoe, avec le reportage ; chez d'autres, avec l'instruction, le commérage, la lexicographie, le catalogage, l'hystérie. Il n'y a sans doute pas d'archétype platonicien d'une lecture en particulier, pas plus que d'archétype platonicien d'un livre en particulier. La notion de "passivité" d'un texte n'est vraie que dans l'abstrait : des rouleaux primitifs aux présentations de typographie du Bauhaus, chaque texte écrit, chaque livre quelle que soit sa forme comporte, implicite ou explicite, une intention esthétique. Jamais deux manuscrits n'ont été semblables, ainsi que l'observèrent les savants chargés de la tâche ardue d'établir le catalogue de la bibliothèque d'Alexandrie, obligés par conséquent de choisir des versions "définitives" des livres qu'ils sauve-gardaient, et qui établirent ainsi la règle épis-témologique de la lecture, selon laquelle tout nouvel exemplaire remplace le précédent, puis-qu'il doit nécessairement le contenir. Et tandis que la presse à imprimer de Gutenberg, recréant le miracle des pains et des poissons, multiplie un même texte à des milliers d'exemplaires, chaque lecteur entreprend d'individualiser le sien à l'aide de griffonnages, de taches, de marques de diverses natures, de sorte qu'aucun exem-plaire, une fois lu, n'est identique à un autre. Ces myriades de variations, ces multiples tirages d'exemplaires écornés ne nous ont pas empê-chés, néanmoins, de parler de "mon exemplaire personnel" d'*Hamlet* ou du *Roi Lear* comme nous parlons du "seul et unique" Shakespeare. Les textes électroniques trouveront de nouveaux modes de généralisation et de définition, et les nouveaux critiques inventeront des vocabulaires assez généreux pour s'adapter aux possibilités de changement.

La crainte mal placée de la technologie, qui opposait autrefois le codex au rouleau, oppose aujourd'hui le rouleau au codex. Il oppose le texte qui défile sur écran aux multiples pages du livre que le lecteur humaniste tient à la main. Mais toute technologie comporte une dimen-sion humaine ; il est impossible de débarrasser de la fibre humaine la plus inhumaine des inven-tions techniques. Elles sont nos inventions, même si nous tentons de les renier. La reconnaissance de cette dimension humaine, comme la compréhension de la signification exacte des empreintes colorées de paumes sur les murs des cavernes préhistoriques, dépasse sans doute nos capacités actuelles. Ce qu'il nous faut, par conséquent, c'est un lecteur humaniste non point nouveau mais plus efficace, qui rendra au texte prisonnier aujourd'hui des procédés technologiques l'ambiguïté qui lui donnait une qualité divinatoire. Ce dont nous avons besoin, ce n'est pas de nous émerveiller devant les effets de la réalité virtuelle, mais d'en reconnaître les défauts bien réels et utiles, les indispensables failles par lesquelles nous pourrons accéder à un espace non encore créé. Nous devons être moins péremptoires, pas plus. La question de savoir si, pour le lecteur humaniste de l'avenir, le livre sous sa forme actuelle demeurera ou non inchangé est en un sens une question vaine. Mon hypothèse (mais ce n'est qu'une hypothèse), c'est que, dans l'ensemble, il ne changera guère, parce qu'il s'est si bien adapté à nos exigences – mais celles-ci, bien sûr, peuvent évoluer.

La question que je me pose plutôt est celle-ci : dans ces nouveaux espaces technologiques, avec ces artefacts qui vont certainement coexister avec (et parfois supplanter) le livre – comment resterons-nous capables d'inventer, capables de nous souvenir, capable d'apprendre, d'enregistrer, de rejeter, de nous interroger, d'exulter, de subvertir, de nous réjouir ? Par quels moyens continuerons-nous à être des lecteurs créateurs et non des voyeurs passifs ?

Voici près de dix ans, George Steiner suggérait que le mouvement anti-livresque renverrait la lecture à son lieu de naissance et qu'il y aurait des maisons de lecture semblables aux anciennes bibliothèques monastiques où ceux d'entre nous qui auront la bizarrerie de désirer se plonger dans un livre à la mode ancienne pourront aller s'installer pour lire en silence. Il se passe une chose de ce genre au monastère de la Sainte-Croix, dans le South Side de Chicago, mais pas au sens qu'imaginait Steiner : ici les moines, après les prières du matin, allument leurs ordinateurs IBM et travaillent dans leur scriptorium, tels leurs ancêtres voici mille ans, à copier, commenter et sauvegarder des textes au bénéfice des générations à venir. Et, apparemment, même le caractère privé de la lecture de dévotion ne se réfugiera pas dans le secret, mais deviendra œcuménique : on peut, paraît-il, atteindre Dieu en Personne sur le site Internet "mur des Lamentations" de Jérusalem, pour les lecteurs de l'Ancien Testament, ou sur le site pontifical du Vatican pour ceux du Nouveau.

A ces visions de la lecture dans l'avenir, je voudrais en ajouter trois autres, imaginées il n'y a pas bien longtemps par Ray Bradbury.

– Dans l'une des nouvelles des *Chroniques martiennes*, la maison entièrement automatisée offre à ses habitants, en guise de distraction vespérale, de leur lire un poème et, ne recevant pas de réponse, elle choisit elle-même un poème et le lit, inconsciente du fait que toute la famille vient d'être annihilée dans une guerre nucléaire. C'est l'avenir de la lecture sans lecteurs.

– Une autre nouvelle, *Usher II*, raconte l'aventure d'un héroïque amateur de Poe en un âge où la fiction n'est plus considérée comme une source de réflexion mais comme quelque chose de dangereusement réel. Après que l'œuvre de Poe a été mise hors la loi, ce lecteur passionné construit une maison étrange et terrible, une châsse à son héros, grâce à laquelle il détruit à la fois ses ennemis et les livres qu'il veut venger. C'est un avenir de lecteurs sans lecture.

– La troisième, la plus connue, est *Fahrenheit 451*, qui dépeint un temps où l'on brûle les livres et où des groupes d'amoureux de la littérature ont appris par cœur leurs livres préférés, qu'ils transportent partout dans leurs têtes, telles des bibliothèques ambulantes. C'est un avenir dans lequel lecteurs et lecture, suivant le précepte d'Augustin, afin de survivre, ne font plus qu'un.

Une lecture automatisée qui se passe de lecteurs ; la lecture laissée à quelques originaux surannés qui considèrent les livres comme des lieux de dialogue et non comme des monstres ; des livres transformés en souvenirs transportés jusqu'à ce que la mémoire s'affaisse et que l'esprit échoue... Ces scénarios conviennent aux dernières années de notre siècle : la fin du livre rapprochée de la fin des temps, la fin du deuxième millénaire. A la fin du premier, les adamites, en prévision de l'Apocalypse, brûlèrent leurs bibliothèques avant de se joindre à leurs frères, afin de ne pas emporter de sagesse inutile au royaume des cieux qui leur était promis.

Nos craintes sont des craintes endémiques, enracinées dans notre temps. Elles ne s'étendent pas à un avenir inconnaissable, elles veulent une réponse concluante, ici et maintenant. "La bêtise, écrivait Flaubert, consiste à vouloir conclure."

Certes. Comme chaque lecteur le sait, l'intérêt, la qualité essentielle de l'acte de lire, maintenant et toujours, c'est qu'il ne tend à aucune fin prévisible, à aucune conclusion. Toute lecture en prolonge une autre, commencée un beau soir mille ans plus tôt et dont nous ne savons rien ; toute lecture projette son ombre sur la page suivante, lui prêtant contenu et contexte. De cette manière, l'histoire grandit, strate sur strate, telle la peau de la société dont cet acte sauvegarde l'histoire. Dans le tableau de Carpaccio, Augustin est assis, aussi attentif que son chien, la plume en suspens, son livre ouvert luit tel un écran, il regarde droit vers la lumière, il écoute. La pièce, les instruments se transforment sans cesse, les livres sur l'étagère changent de couverture, les textes racontent des histoires avec des voix non encore nées.

L'attente continue.

DÉPÔT LÉGAL
1re ÉDITION : MARS 2000
N° impr. : 48046
*(Imprimé en France)*